Romeo y Julieta

William Shakespeare

Romeo y Julieta

Prólogo de Vicente Molina Foix

Alianza editorial
El libro de bolsillo

Título original: *The Tragedy of Romeo and Juliet*
Traducción de Luis Astrana Marín

Primera edición en «El libro de bolsillo»: 2005
Tercera edición: 2011
Primera reimpresión: 2012

Diseño de colección: Estudio de Manuel Estrada con la colaboración de Roberto Turégano y Lynda Bozarth
Diseño de cubierta: Manuel Estrada
Ilustración de cubierta: Rafael Sanzio, *La Fornarina*. Roma, Galleria Nazionale d'Arte Antica. © Album / DEA / G. Dagli Orti
Selección de imagen: Alicia Fuentes

© del prólogo: Vicente Molina Foix, 2005
© de la traducción: Santillana Ediciones Generales, S. L. (Aguilar)
© Alianza Editorial, S. A., Madrid, 2012
    Calle Juan Ignacio Luca de Tena, 15;
    28027 Madrid; teléfono 91 393 88 88
    www.alianzaeditorial.es

ISBN: 978-84-206-5140-8
Depósito legal: B. 3.380-2012
Composición: Grupo Anaya
Impreso en Novoprint, S. A.
Printed in Spain

Si quiere recibir información periódica sobre las novedades de Alianza Editorial, envíe un correo electrónico a la dirección: alianzaeditorial@anaya.es

Índice

Prólogo
Los amantes de la noche

Romeo y Julieta es la primera tragedia urbana y contemporánea de Shakespeare, no siendo ambos adjetivos aplicables a otras piezas trágicas anteriores pero de ámbito histórico anglo-sajón *(Ricardo III)* o romano *(Tito Andrónico)*. Escrita seguramente en torno al año 1595, y basada, como era habitual en el autor, en obras ya publicadas en inglés, francés o italiano (en este caso su fuente principal es un largo poema narrativo en versos pareados de Arthur Brooke, aparecido en 1562), Shakespeare marca con *La tragedia de Romeo y Julieta* dos importantes vías de su dramaturgia: el emplazamiento italiano y el relato de historias de amor fatal, inspiradas en parejas reales de la Antigüedad –*Troilo y Crésida, Antonio y Cleopatra*– o personajes de fábula –*Otelo, Cimbelino*, aunque en esta última las asechanzas y pócimas venenosas conducen a un final feliz.

El marco renacentista italiano, concretamente véneto, ya perfilado en sus dos comedias precedentes, *La fierecilla domada,* de 1592, situada en Padua, y *Los dos caballeros de Verona,* de 1593/1594, desarrollada entre la ciudad del título y Milán, reaparece en grandes obras de la madurez *shakesperiana* como *Otelo* y *El mercader de Venecia* y, de modo más periférico, desplazado a islas geográficamente precisas (la Sicilia de *Mucho ruido y pocas nueces* y *Cuento de invierno*) o imaginarias: la que habitan el desterrado Próspero y su hija Miranda en *La tempestad.* No es, sin embargo, atributo exclusivo de Shakespeare esa fijación topográfica italianizante; como ya estudió en un texto fundamental la hoy injustamente olvidada novelista y crítica británica Vernon Lee, *La Italia de los dramaturgos isabelinos* (así se llama su ensayo, publicado en 1884), fue el reinventado espacio real donde autores teatrales de talla sólo algo inferior a la de Shakespeare (Webster, Ford, Ben Jonson, Marston) situaron sus tragedias o farsas de desatada lujuria, codicia y traición, fascinados todos ellos desde la lejanía septentrional por lo que Lee califica de «antiascética, estética, eminentemente humana manera de sentir» de los italianos del siglo XVI. De la inspiración que esos y otros escritores ingleses extraen de «la grandeza trágica, la rareza psicológica, la monstruosidad moral» prevaleciente en las ciudades y núcleos cortesanos del Cinquecento surge lo que yo llamaría, utilizando términos de hoy, una *deslocalización* de las pasiones más extremas y transgresoras. De ese modo, la austera, pietista y *reformada* sociedad inglesa, tan fuertemente sujeta por la autoridad virginal de la reina Isabel I, producía truculentas representaciones del incesto, la blasfemia, el odio racial y el cinismo homicida ubicados en Italia, logrando que «la pecaminosidad del Renacimiento» se mostrase en los escenarios londinenses, a miles de kilómetros de distancia, «ataviada de una soberbia y terrible vestidura por la trágica imaginación de la Inglaterra isabelina» (y cito de nuevo a la gran Vernon Lee).

Ahora bien, Shakespeare no reviste con la concupiscencia ni la perfidia a sus amantes veroneses. La singularidad y atractivo permanente de *Romeo y Julieta* radica en su lirismo, tan acendrado como el comportamiento de los dos protagonistas y tan sublime como la versificación rimada, más de una vez en forma de soneto, que el autor prodiga llamativamente, eliminando casi del todo su acostumbrada amalgama de verso blanco y pasajes en prosa. Otro rasgo notable son sus brotes de infantilismo sentimental, que hace de esta tragedia uno de los testimonios más conmovedores de la pasión adolescente (recuérdese que, como el propio texto señala por boca de la Nodriza en el acto I, escena III, Julieta, aun siendo casadera, no ha cumplido los 14 años en el momento de la acción). Todo es atropellado y fugaz, intenso y velocísimo (el planteamiento, el nudo y el desenlace ocupan tan sólo cuatro días), irreal pero doloroso en la historia narrada, hasta el punto de que la trascendencia que en su trama tienen los estados de sueño inducido, catalepsia y resurrección de muertes ficticias, crea una atmósfera predominantemente onírica. *La tragedia de Romeo y Julieta* es la fantasía de dos frenéticos adolescentes que viven su amor de noche, como en una ensoñación, y a los que la luz del día despierta con un principio de realidad para ellos incomprensible y a la postre fatídico.

Romeo, el heredero del apellido Montesco, acude enmascarado en la escena V del acto I a la fiesta nocturna de la familia enemiga, los Capuleto, con la esperanza de ver a Rosalina, a la que corteja sin éxito; allí, sin embargo, descubre a Julieta, por quien siente una súbita atracción que ella responde, aceptando el beso que el aún desconocido muchacho le da amorosamente. Poco después según el transcurso temporal, aunque ya en el acto siguiente, Julieta, conociendo ahora la personalidad del joven que también a ella le ha enamorado, sale al balcón del dormitorio para expresar en voz alta sus sentimientos; Romeo, que ha logrando colarse en el huerto que rodea la mansión de los Capuleto, la oye y responde, produciéndose al principio un doble soliloquio cruzado de los amantes, resuelto en la atrevida declaración de Julieta sobre el asfixiante corsé de los nombres, que comentaremos después. La escena (que junto al segundo amanecer de la pareja en el jardín, acto III, escena V, y la despedida sucesiva de los suicidas en el panteón, poco antes del desenlace, ha entrado en el canon de la mejor poesía amorosa) termina con las primeras luces del alba, y está muy marcada por las imágenes nocturnas: «el manto de la noche», «el velo nocturno cubre mi rostro», «no jures por la Luna, por la inconstante Luna», «qué dulce suena en medio de la noche la voz de los amantes». Pero no sólo por esas imágenes. Cuando aún ignora que Romeo la está escuchando, Julieta se enfrenta con encono a los apellidos que les separan, proponiéndole a su pretendiente, al final de ese encuentro furtivo, que, desprovistos de toda identificación y 'persona', ajenos a las responsabilidades que el día obliga a desempeñar, sean ambos como pajarillos inocentes y juguetones. Romeo asiente y se despide de Julieta dando voz a un nuevo deseo de ir a buscar refugio en la pura inconsciencia: «¡Quién fuera sueño y descanso, para reposar tan deliciosamente!».

Es muy propio del espíritu juvenil negarse a encerrar las cosas en denominaciones fijas y no querer someterse a las formalidades de una identidad definida, y también de esa extralimitación o escape de lo real trata la obra. Sobre los nombres se hacen juegos lingüísticos (Romeo y Romea, una broma impúdica de Mercucio en la escena IV del acto II que Astrana Marín no traduce; Romeo y «romero», en la semejanza que la Nodriza le saca al joven Montesco al final de la misma escena, también con intenciones procaces), pero no hay que olvidar que el desencadenante de la tragedia es, por decirlo así, onomástico. «Sólo tu nombre es mi enemigo». Con esas palabras arranca Julieta el bellísimo monólogo antes mencionado, en el que compara el valor estrechamente representativo, simbólico, de un nombre, con el peso infinito del cuerpo amado: «¿Qué es Montesco? No es ni mano, ni pie, ni brazo, ni rostro, ni parte alguna que pertenezca a un hombre. ¡Oh, sea otro tu nombre! ¿Qué hay en un nombre? Lo que llamamos rosa exhalaría el mismo grato perfume con cualquier otra denominación. De igual modo, Romeo, aunque Romeo no se llamara, conservaría sin este título las raras perfecciones que atesora. ¡Romeo, rechaza tu nombre, y, a cambio de ese nombre, que no forma parte de ti, tómame a mí toda entera!». Rara vez se ha expresado de modo más vehemente y con tan efectiva elocuencia en la literatura clásica

(exceptuando *La Celestina*) la abdicación de todo víncu-
lo familiar y social frente al arrastre de un amor-pasión
–o *amour fou*– que lleva a los amantes a un estado de mu-
tua y exclusiva pertenencia sensual.

El *amour fou* es un concepto de la modernidad surrea-
lista, aunque los enamorados empezaron a cometer locu-
ras amorosas muchos siglos antes de que André Breton
lo preconizase. En todo caso, *La tragedia de Romeo y Julieta* no se adscribe a tal género de irracionalismo, sino
que es, a mi juicio, uno de los grandes textos avanzados
de la sensibilidad prerromántica, y en él figuran los com-
ponentes esenciales de dicho temperamento artístico: la
invocación constante a la noche, el imposible amoroso
impuesto por caducos preceptos sociales, la poética de
lo fúnebre, y esa libertad modal, tan querida por Shakespeare, de mezclar lo trágico y lo cómico, lo más elevado
con lo más bajo, el amor ideal y la lubricidad descarada
(la obra arranca con un diálogo entre los dos criados de
la casa Capuleto, Sansón y Gregorio, lleno de alusiones
de doble sentido obsceno, frecuentes después en las di-
vertidas intervenciones de la Nodriza y Mercucio; y en
uno de los momentos más trágicos, al final del acto IV,
cuando los Capuleto y el prometido oficial de Julieta, Paris, la creen muerta, muerte que sólo Fray Lorenzo, también presente en la escena, sabe falsa, irrumpen con su
contrariado y chusco materialismo los músicos contrata-
dos para amenizar una boda que ya no se celebrará, pro-
testando porque tampoco ellos oirán el «dulce sonido»
de la plata).

En cuanto a la nocturnidad de la acción, ligada a ese
marco onírico ya aludido, difícilmente podría ser casual.

Los encuentros e intercambios amorosos de la pareja se producen significativamente después del anochecer (acto III, escena II, cuando la hija de los Capuleto llama a la noche en su ayuda: «Ven, noche complaciente», según Astrana Marín, o noche «protectora» del amor, como tradujo Neruda la palabra de Shakespeare, «civil»), o poco antes del amanecer (segunda escena del balcón, III, V, en la que los amantes, después tal vez de haber consumado su relación, vuelven a personificarse en aves, y Julieta, oyendo a Romeo maldecir la creciente claridad del día, que hace más negra la desdicha de la separación, se despide de su amante hablándole airadamente al ventanal de su dormitorio: «¡Haz entrar la luz del día y deja salir mi vida!»). Y está, por supuesto, la resolución de la tragedia en la cripta de los Capuleto, con el combate nocturno entre Romeo y Paris, la herida mortal de éste, el suicidio de Romeo y el despertar de Julieta, con su desesperación y muerte también suicida; en todo este final destacan las exclamaciones necrofílicas de los amantes, otro rasgo que aún acerca más la obra al prerromanticismo.

Algunos profesionales del teatro (y, en mi experiencia, actrices de mediana edad sobre todo) lamentan que Shakespeare escribiese sus papeles mayores para los hombres, lo cual ha llevado, por cierto, a esa curiosa operación de travestismo escénico según la cual algunas divas han desempeñado no sólo el rol de Hamlet sino también el Próspero de *La tempestad* y hasta el rey Lear. Estos personajes masculinos (a los que habría que añadir, cuando menos, Shylock y Ricardo III, Otelo y Yago, Falstaff y Enrique V) señalan sin duda grandes hitos del repertorio dramático universal. Pero ¿cómo olvidarse de Cleopatra y de la Porcia de *El mercader de Venecia,* de Rosalind y Viola, de Lady Macbeth y Crésida, de Beatrice? O de Julieta. Esta niña de 13 años es uno de los deslumbrantes prototipos femeninos del teatro, más juiciosa pero no menos apasionada que Romeo, mejor definida, mejor hablada, más tierna en su entrega, más valiente en su desafío. Más auténticamente romántica.

En unas conferencias sobre la obra teatral de Shakespeare que Auden dictó en 1946 en Nueva York, el poeta inglés dijo que «Romeo y Julieta confunden amor y romance». También en esa interesante lectura del comportamiento de los protagonistas de la tragedia habría que darle prioridad a Julieta. Encerrada en el *hortus conclusus* del palacio, en su corta edad, en las convenciones de un orden familiar y matrimonial, Julieta, desde el primer momento en que ve a Romeo, se precipita a vivir un «romance», que hay que entender en este caso según la literalidad del término inglés (historia caballeresca o galante). Y así, *La tragedia de Romeo y Julieta,* discurriendo entre el ensueño erótico y el cuento gótico (hay que recordar, en la escena I del acto IV, las tremebundas pruebas que la muchacha se dice dispuesta a pasar en caminos infectados de ladrones y ponzoñosas serpientes, en osarios y fosas recién cavadas, con tal de no casarse con su pretendiente Paris), acaba por ser el relato de cómo un amor físicamente imposible se puede realizar por medio de la encendida palabra amorosa.

Vicente Molina Foix

La tragedia
de Romeo y Julieta

Personajes

ESCALO, Príncipe de Verona.
PARIS, joven noble, pariente del Príncipe
MONTESCO } jefes de dos casas enemistadas entre sí
CAPULETO
UN ANCIANO, de la familia de Capuleto
ROMEO, hijo de Montesco
MERCUCIO, pariente del Príncipe y amigo de Romeo
BENVOLIO, sobrino de Montesco y amigo de Romeo
TEOBALDO, sobrino de Lady Capuleto
FRAY LORENZO } franciscanos
FRAY JUAN
BALTASAR, criado de Romeo
GREGORIO } criados de Capuleto
SANSÓN

PEDRO, criado de la nodriza de Julieta
ABRAHÁN, criado de Montesco
UN BOTICARIO
TRES MÚSICOS
EL PAJE DE MERCUCIO
EL PAJE DE PARIS
OTRO PAJE
UN CABO DE RONDA
LADY MONTESCO, esposa de Montesco
LADY CAPULETO, esposa de Capuleto
JULIETA, hija de Capuleto
LA NODRIZA DE JULIETA
CIUDADANOS DE VERONA; HOMBRES Y MUJERES, DEUDOS DE AMBAS CASAS; ENMASCARADOS, GUARDIAS, ALGUACILES Y ACOMPAÑAMIENTO

Escena: Verona; Mantua.

Acto Primero

Prólogo

Entra el CORO.

CORO

En la bella Verona, donde situamos nuestra escena, dos familias, iguales una y otra en abolengo, impulsadas por antiguos rencores, desencadenan nuevos disturbios, en los que la sangre ciudadana tiñe ciudadanas manos.

De la entraña fatal de estos dos enemigos cobraron vida bajo contraria estrella dos amantes, cuya desventura y lastimoso término entierra con su muerte la lucha de sus progenitores.

Los trágicos pasajes de su amor, sellado con la muerte, y la constante saña de sus padres, que nada pudo aplacar sino el fin de sus hijos, va a ser durante dos horas el asunto de nuestra representación.

Si la escucháis con atención benévola, procuraremos enmendar con nuestro celo las faltas que hubiere. *(Sale.)*

Escena primera

Verona. Una plaza pública.
Entran SANSÓN *y* GREGORIO, *de la casa de Capuleto, armados con espadas y broqueles.*

SANSÓN

¡A fe mía, Gregorio, que no soportaremos más la carga![1].

GREGORIO

No, porque entonces nos tomarían por burros.

SANSÓN

Quiero decir que, si nos encolerizamos, sacaremos la espada.

GREGORIO

Sí; pero procura, mientras vivas, no sacar más que tu cuello de la collera.

SANSÓN

¡Yo pego pronto, como me muevan!

---

1. *Gregory, o' my word, we'll not carry coals.* Literalmente: «A fe mía, Gregorio, no transportaremos carbón». Todo este diálogo se halla basado en una serie de graciosos juegos de palabras, casi imposibles de verter a nuestro idioma. Con todo, tal es la flexibilidad de éste, que hemos podido trasladar la mayor parte de ellos. *(N. del T.)*

GREGORIO

Pero no te sientes pronto movido a pegar.

SANSÓN

¡Un perro de la casa de Montesco me mueve!

GREGORIO

¡Moverse es ir de acá para allá; y ser valiente, esperar a pie firme! De modo que si te vuelves, inicias la huida.

SANSÓN

¡Un perro de esa casa me moverá a estar firme! ¡Yo le tomaré la acera a todo criado o doncella de los Montescos!

GREGORIO

Eso indica que eres un débil esclavo, pues sólo los débiles se arriman a la pared.

SANSÓN

Es verdad, y por eso las mujeres, como vasijas débiles, son empujadas siempre a la pared. Por tanto, echaré a los criados de Montesco de la pared y arrimaré a ella a sus doncellas.

GREGORIO

La contienda es entre nuestros amos y entre nosotros sus criados.

SANSÓN

Igual me da. ¡Me mostraré tirano! Cuando me haya batido con los sirvientes, seré cruel con las doncellas. Les voy a cortar la cabeza.

GREGORIO

¿La cabeza de las doncellas?

SANSÓN

Sí, la cabeza de las doncellas, o su doncellez. ¡Tómalo en el sentido que quieras!

GREGORIO

Quienes habrán de tomarlo en algún sentido serán los que lo sientan.

SANSÓN

¡Pues me sentirán mientras pueda tenerme en pie, y es sabido soy un bonito pedazo de carne!

GREGORIO

Más vale que no seas pescado; de serlo, estarías convertido en un pobre Juan[1]. ¡Saca tu herramienta, que vienen dos de la casa de los Montescos!

1. Nuevo juego de palabras, de fino donaire, que, naturalmente, pierden al ser vertidas. En la presente réplica de Gregorio, *poor John* (pobre Juan) se confunde con *poorjohn* (pejepalo). Por ello, compara con un pez a Sansón, que se tiene por un bonito pedazo de carne. Es curioso hacer notar que en la mayoría de los idiomas europeos, Juanito y Juan son sinónimos de gente inútil e imbécil. Así, los italianos dicen *Gianni,* y de aquí, *Zani,* por mentecato. En castellano tenemos el *Bobo Juan,* que los franceses llamarían un *Jean niais.* En Alemania usan de *Hans Wurst.* En inglés, calificar a alguno de *John* o *Jack* no es hacerle ningún favor, y en Francia dicen de un simple: *C'est un Jean-Jean. (N. del T.)*

(Entran ABRAHÁN *y* BALTASAR.)

SANSÓN
¡Ya está desnuda mi arma! Provócalos; te guardaré las espaldas.

GREGORIO
¡Cómo! ¿Volviendo las tuyas echando a correr?

SANSÓN
¡De mí no temas!

GREGORIO
¡No, por mi fe! ¡Temerte yo!

SANSÓN
Tengamos la ley de nuestra parte. Que empiecen ellos.

GREGORIO
¡Frunciré el entrecejo al pasar, y que lo tomen como quieran!

SANSÓN
¡No, que se atrevan! Me morderé el pulgar mirándolos[1], lo cual es un oprobio para ellos, si lo aguantan.

ABRAHÁN
¿Os mordéis el pulgar por nosotros, caballeros?

---

1. Morderse el pulgar era señal de burla e insulto en Italia. *(N. del T.)*

SANSÓN
   Me muerdo el pulgar, caballero.

ABRAHÁN
   ¿Os mordéis el pulgar por nosotros, caballero?

SANSÓN (*Aparte, a* GREGORIO.)
   ¿Está la ley de nuestra parte si le digo que sí?

GREGORIO (*Aparte, a* SANSÓN.)
   No.

SANSÓN
   No, caballero; no me muerdo el pulgar por vosotros;
   pero me muerdo el pulgar, caballero.

GREGORIO
   ¿Buscáis pendencia, caballero?

ABRAHÁN
   ¿Pendencia, caballero? No, señor.

SANSÓN
   Porque si la buscáis, caballero, estoy a vuestras órdenes. Sirvo a un amo tan bueno como el vuestro.

SANSÓN
   Corriente, caballero.

                    (*Entra* BENVOLIO.)

GREGORIO *(Aparte, a* SANSÓN.)
Di mejor, que allí llega un pariente de mi amo.

SANSÓN
¡Sí, mejor, caballero!

ABRAHÁN
¡Mentís!

SANSÓN
¡Desenvainad, si sois hombres! ¡Gregorio, acuérdate de tu estocada maestra! *(Riñen.)*

BENVOLIO
¡Separaos, imbéciles!... *(Abatiendo sus espadas.)* ¡Envainad vuestras espadas! ¡No sabéis lo que estáis haciendo!

(Entra TEOBALDO.)

TEOBALDO
¡Qué! ¿Con el acero desnudo entre esos cobardes villanos?... ¡Vuélvete, Benvolio, y contempla tu muerte!

BENVOLIO
¡No hago sino mantener la paz! Envaina tu espada o ayúdame con ella a separar a estos hombres.

TEOBALDO
¡Cómo! ¡Espada en mano y hablar de paz! ¡Odio esa palabra, como odio el infierno, a todos los Montescos y a ti! ¡Defiéndete, cobarde! *(Luchan.)*

(Entran varios individuos de ambas casas, que toman parte en la refriega; y después, CIUDADANOS *con garrotes y partesanas.)*

CIUDADANOS

¡Garrotes, picas y partesanas! ¡Duro! ¡Dad en tierra con ellos! ¡Abajo los Capuletos! ¡Abajo los Montescos!

(Entran CAPULETO, *vestido con su bata, y* LADY CAPULETO.)

CAPULETO

¿Qué ruido es éste? ¡A ver, mi espada de combate! ¡Venga!

LADY CAPULETO

¡Una muleta, una muleta! ¿Para qué pedís una espada?

CAPULETO

¡Mi espada digo! ¡El viejo Montesco llega y blande su hoja a despecho mío!

(Entran MONTESCO *y* LADY MONTESCO.)

MONTESCO

¡Tú, villano Capuleto!... ¡No me detengáis, dejadme!

LADY MONTESCO
¡No darás un paso para ir en busca de un enemigo!

(Entra el PRÍNCIPE con su séquito.)

PRÍNCIPE
Vasallos revoltosos, enemigos de la paz, profanadores de esos aceros, que mancháis con la sangre de vuestros vecinos!... ¿No escucharán? ¡Cómo! ¡Vaya! ¡Hombres, fieras, que apagáis el fuego de vuestro furor insensato con purpúreos torrentes que brotan de vuestras venas, bajo pena de tormento, arrojad al suelo, de esas manos sangrientas, vuestras mal templadas armas, y oíd la sentencia de vuestro enojado Príncipe! Tres reyertas intestinas, nacidas de una vana palabra, por ti, viejo Capuleto, y por ti, Montesco, han turbado tres veces la quietud de nuestras calles; y los ancianos habitantes de Verona se han visto obligados a despojarse de sus graves y decentes prendas[1] para manejar viejas partesanas, con manos igualmente viejas y corroídas por la paz, con el fin de atajar vuestro corroído odio. Si en lo sucesivo promovéis nuevos desórdenes en nuestras calles, vuestras vidas pagarán el quebrantamiento de la paz. Por esta vez retiraos todos. Vos, Capuleto, vendréis conmigo, y vos, Montesco, id esta tarde, para saber nuestra ulterior resolución en este asunto, a la antigua Villafranca, nuestro habitual punto de justicia. ¡Lo repito: bajo pena de muerte, retírese todo el mun-

1. *Grave hescemning ornaments.* Estos graves ornamentos o prendas, propios de la avanzada edad, son los báculos. *(N. del T.)*

do! *(Salen todos, menos* MONTESCO, LADY MONTESCO *y* BENVOLIO.)

MONTESCO
¿Quién ha vuelto a despertar esta antigua discordia? Hablad, sobrino. ¿Os hallabais presente cuando comenzó?

BENVOLIO
Estaban aquí riñendo cuerpo a cuerpo vuestros criados y de vuestro enemigo, antes de yo llegar. Desenvainé, con intención de separarlos, cuando en aquel momento acude Teobaldo con su espada dispuesta, quien, lanzando provocaciones a mis oídos, la agitaba sobre mi cabeza, hendiendo los aires, que, sin recibir daño alguno, silbaban haciéndome burla. En tanto nos devolvíamos tajos y reveses, venía más y más gente y peleaba a favor de una y otra parte, hasta que llegó el Príncipe, que departió las dos partes.

LADY MONTESCO
¡Oh! ¿Dónde está Romeo? ¿Le habéis visto hoy? Celebro infinito que no se hallara en esta refriega.

BENVOLIO
Señora, una hora antes que el sol idolatrado asomara por los áureos balcones del Oriente, una intranquilidad de ánimo me impulsó a pasear por las afueras, donde, bajo el vergel de sicomoros que crece al poniente de la ciudad, distinguí a vuestro hijo, paseando en hora tan temprana. Me encaminé hacia él; pero es-

quivó mi vista y se internó en la espesura de la arbole-
da. Yo, midiendo sus afecciones por las mías, que nunca son más activas que en medio de la mayor soledad,
seguí mi capricho sin perseguir el suyo, y gustoso evité
a quien gustoso huía de mí.

MONTESCO

Allí le han visto más de una mañana, aumentando con
sus lágrimas el fresco rocío de la aurora y añadiendo a
las nubes nuevas nubes con sus hondos suspiros; pero
apenas el sol, que a todo alegra y anima, allá, en los
confines del Oriente comienza a descorrer las densas
cortinas del lecho del alba, mi triste hijo vuelve al ho-
gar, huyendo de la luz, y se aprisiona en su estancia,
cierra las ventanas, echa cerrojos a la hermosa luz del
día y se forja a sí propio una noche artificial. Deplora-
ble y fatal será este humor extraño, a menos que un
buen consejo pueda remediar la causa.

BENVOLIO

¿Sabéis la causa, noble tío?

MONTESCO

Ni la sé, ni logro conseguir que la descubra.

BENVOLIO

¿Le habéis tanteado de alguna manera?

MONTESCO

Así yo como otros muchos amigos; pero él, consejero
de sus propias afecciones, es para sus adentros, no diré

tan fiel, pero sí tan impenetrable y cerrado, tan inasequible a la indagación y al sondeo, como el capullo roído por envidioso gusano antes que pueda desplegar al aire sus delicados pétalos o dedicar al sol su belleza. Si averiguáramos siquiera el origen de su pesar, tan gustosos seríamos en remediarlo como en conocerlo.

BENVOLIO
Miradle dónde viene. Retiraos, os ruego. Sabré la causa de su aflicción, o muy reservado se mostrará conmigo.

MONTESCO
¡Ojalá a solas con él tengas la suerte de oírle una confesión sincera! Vamos, señora, retirémonos. *(Salen* MONTESCO *y* LADY MONTESCO*.)*

(Entra ROMEO*.)*

BENVOLIO
¡Feliz madrugada, primo!

ROMEO
¿Es tan joven el día?

BENVOLIO
Acaban de dar las nueve.

ROMEO
¡Ay de mí! ¡Qué largas parecen las horas tristes! ¿Era mi padre el que se alejaba de aquí tan aprisa?

BENVOLIO

Lo era. ¿Qué pesadumbre alarga las horas de Romeo?

ROMEO

El no poseer lo que, poseído, las abrevia.

BENVOLIO

¿En amor?

ROMEO

Privado...

BENVOLIO

¿De amor?

ROMEO

Privado de los favores de aquella a quien adoro.

BENVOLIO

¡Ay! ¡Que el amor, tan gentil en la apariencia, haya de ser tan cruel y tirano en la prueba!

ROMEO

¡Ay! ¡Que el amor, que lleva siempre vendada la vista, halle sin los ojos camino franco a su voluntad! ¿Dónde comeremos? ¡Mísero de mí! ¿Qué reyerta ha habido aquí? Mas no me lo digas, pues todo lo he oído. Mucho da que hacer aquí el odio, pero más el amor. Por tanto, pues, ¡oh amor pendenciero! ¡Oh odio amoroso! ¡Oh suma de todo, primer engendro de la nada! ¡Oh pesada ligereza, grave frivolidad! ¡Informe caos

de seductoras formas! ¡Pluma de plomo, humo resplandeciente, fuego helado, robustez enferma, sueño
en perpetua vigilia, que no es lo que es! Tal es el amor
que siento sin sentir en tal amor amor alguno. ¿No te
ríes?

BENVOLIO
No, primo; más bien lloro.

ROMEO
Buen corazón, ¿de qué?

BENVOLIO
Del agobio de tu buen corazón.

ROMEO
¡Qué quieres, achaques son de amor! Mis propios
pesares abruman mi pecho, que se acrecientan más
con los tuyos. Ese afecto que me has mostrado aña-
de nuevo pesar al exceso del mío. El amor es humo
engendrado por el hálito de los suspiros. Si lo alien-
tan, es chispeante fuego en los ojos de los enamorados. Si lo contrarían, un mar nutrido con lágrimas
de amantes. ¿Qué otra cosa más? Cuerdísima locura, hiel que endulza y almíbar que amarga. ¡Adiós,
primo mío!

BENVOLIO
¡Aguardad! Quiero acompañaros. Si así me dejáis, me
ofendéis.

ROMEO

¡Calla! Yo me he perdido, yo no estoy aquí. Éste no es Romeo. ¡Romeo está en otra parte!

BENVOLIO

Dime en serio: ¿de quién estás enamorado?

ROMEO

¡Cómo! ¿Tendré que decírtelo sollozando?

BENVOLIO

¡Sollozando! ¿Por qué? No; sino que me digas seriamente de quién es.

ROMEO

Pídele a un enfermo que haga en serio su testamento. ¡Ah, qué consejo de tan mal efecto para uno que tan mal está! En serio, primo: adoro a una mujer.

BENVOLIO

Bien cerca apuntaba cuando te supuse enamorado.

ROMEO

¡Certero y buen tirador! ¡Y que es gentil la que adoro!

BENVOLIO

Un certero y gentil tirador, gentil primero, hace blanco en seguida.

ROMEO

Bien; pues en ese blanco erraste, porque no hay modo de que haga en ella blanco la saeta de Cupido. Tiene el espíritu de Diana, y bien armada, a prueba de su resistente castidad, vive fuera del alcance del infantil y endeble arco del amor. No se dejará asediar de propuestas amorosas, ni sufrirá el encuentro de asaltadores ojos, ni abrirá su seno al oro, seductor de santos. ¡Oh! Es rica en belleza, y sólo pobre porque, cuando muera, con su hermosura morirá su tesoro.

BENVOLIO

¿Ha hecho, entonces, voto de perpetua castidad?

ROMEO

Lo ha hecho, y esa avaricia de su belleza implica un copioso derroche, pues su hermosura, marchitada a tal extremo, priva de hermosura a toda la posteridad. Es demasiado hermosa, demasiado discreta, demasiado discretamente hermosa, para merecer la felicidad a cambio de mi desesperación. He abjurado del amor, y con este voto vivo yo muerto, que sólo vivo para contártelo ahora.

BENVOLIO

Guíate por mí; deja de pensar en ella.

ROMEO

¡Oh! ¡Enséñame cómo pueda dejar de pensar!

BENVOLIO

Dando libertad a tus ojos. Mira otras hermosuras.

ROMEO

He ahí el medio de proclamar la suya más exquisita. Esos afortunados antifaces que besan el rostro de las damas bellas nos hacen adivinar, por ser negros, la radiante blancura que esconden. El que ciega de repente no puede olvidar el inestimable tesoro de su vista perdida. Preséntame una dama de extremada belleza. ¿De qué me servirá su belleza sino de escrito en que pueda leer quién aventajó a esa aventajada belleza? ¡Adiós, tú no sabes enseñarme a olvidar!

BENVOLIO
Yo te daré esa enseñanza, o de lo contrario, he de morir en deuda. *(Salen.)*

Escena II

El mismo lugar. Una calle.
Entran CAPULETO, PARIS *y un* CRIADO.

CAPULETO
Pero Montesco queda obligado bajo igual penalidad que yo, y no será difícil según pienso, en hombres tan viejos como nosotros, guardar la paz.

PARIS
Ambos gozáis de honrosa consideración, y es muy lamentable que hayáis vivido enemistados tanto tiempo. Y ahora, señor, ¿qué contestáis a mi demanda?

CAPULETO
No haré sino repetir lo que otras veces dije. Mi niña es todavía una extraña en el mundo. Aún no ha cumplido

catorce años. Dejad que otros dos estíos se extingan en su esplendor antes que podamos juzgarla en sazón para desposada.

PARIS
Otras más jóvenes que ella son ya madres felices.

CAPULETO
Y demasiado pronto se marchitan las que tan prematuramente se desposan. El mundo se me llevó todas mis esperanzas, menos ella. Ella es la dueña y esperanza de mi mundo. Pero cortejadla, gentil Paris, interesad su corazón. Mi voluntad es sólo una parte de su sentimiento. Una acogida suya, como objeto de su elección, envuelve mi conformidad y voto favorable. Esta noche, según tradicional costumbre, doy una fiesta, a la cual he invitado a varias personas de mi estimación. Aumentad el número, y seréis el bienvenido entre la concurrencia. En mi humilde morada disponeos esta noche a contemplar estrellas que pisan la tierra eclipsando la luz del cielo. Deleite semejante al que experimenta el robusto doncel cuando el florido abril pisa los talones del perezoso invierno, lo sentiréis esta noche en mi casa entre frescos capullos femeninos. Oíd a todas esas hermosuras, miradlas todas y conferid la preferencia a aquella cuyo mérito sea mayor. Bien visto, mi hija es una más que puede figurar en el número, sin entrar en la cuenta. Venid, acompañadme. (*Al* CRIADO, *entregándole un papel.*) Marcha tú, pícaro; recorre la hermosa Verona, busca las personas cuyos nombres están aquí escritos y diles

que mi casa y bienvenida esperan su favor. *(Salen* CA-
PULETO *y* PARIS.*)*

CRIADO

¡Busca a aquellos cuyos nombres están aquí escritos!
Escrito está que el zapatero se entienda con su yarda, y el
sastre con su horma; el pescador con sus pinceles, y con
sus redes, el pintor; mas a mí me envían a buscar aquellas personas cuyos nombres están aquí escritos, y jamás
podré hallar qué nombres ha escrito aquí el escribiente.
Tendré que acudir a los entendidos. En buena ocasión.

(Entran BENVOLIO *y* ROMEO.*)*

BENVOLIO

¡Calla, hombre! Un fuego apaga otro fuego. Una pena
se calma con el sufrimiento de otra. Da vueltas hasta
que te acometa el vértigo, y te serenarás girando en dirección contraria. Un dolor desesperado, con la aflicción de otro se remedia. Coge en tus ojos alguna nueva
infección y desaparecerá el violento veneno del mal
antiguo.

ROMEO

Vuestras hojas de plátano son excelentes para eso.

BENVOLIO

¿Para qué? Habla.

ROMEO

Para la fractura de vuestra espinilla.

BENVOLIO
Qué, Romeo, ¿estás loco?

ROMEO
Loco, no; pero más atado que un loco, aprisionado, falto de mi sustento, azotado y atormentado y... Buenas tardes, buen hombre.

CRIADO
Buenas nos las dé Dios. Por favor, señor, ¿sabéis leer?

ROMEO
Sí, mi propio destino en mi desventura.

CRIADO
Eso tal vez lo aprendisteis sin libro; pero, por favor, ¿sabéis leer cualquier cosa que veáis?

ROMEO
Sí, con tal que conozca las letras y el lenguaje.

CRIADO
¡No os explicáis mal! ¡Que os divirtáis! *(Intentando marcharse.)*

ROMEO
Esperad, hombre; sé leer. *(Lee.)* «El signior Martino, su esposa e hijas; el conde Anselmo y sus lindas hermanas; la señora viuda de Vitruvio; el señor Placencio y sus adorables sobrinas; Mercucio y su hermano Valentín; mi tío Capuleto, su esposa e hijas, mi encantadora

sobrina Rosalina; Livia; el signior Valencio y su primo
Teobaldo; Lucio y la vivaracha Elena.» ¡Brillante re-
unión! ¿Y adónde van?

CRIADO
Arriba.

ROMEO
¿Adónde?

CRIADO
A cenar a nuestra casa.

ROMEO
¿A casa de quién?

CRIADO
A la de mi amo.

ROMEO
Verdaderamente, es lo que debía haberte preguntado
antes.

CRIADO
Ahora os lo diré, sin que me lo preguntéis: mi amo es
el riquísimo Capuleto; y si no sois vos de la casa de los
Montescos, os ruego vengáis y vaciéis una copa de
vino. ¡Que os divirtáis! *(Sale.)*

BENVOLIO
En esa misma antigua fiesta de los Capuletos cena la
encantadora Rosalina, a quien tanto amas, en unión de

las más admirables hermosuras de Verona. Ven allá, y, con ojos desapasionados, compara su rostro con algunos que yo te mostraré, y convendrás conmigo en que tu cisne es un cuervo.

ROMEO

¡Cuando la sacrosanta religión de mis ojos mantenga semejante falsedad, truéquense al punto mis lágrimas en llamas; y estos claros herejes, tantas veces inundados sin poder morir jamás, sean quemados como impostores! ¡Una mujer más bella que mi amada! ¡El sol que todo lo ve, no vio nunca su igual desde la aurora de los tiempos!

BENVOLIO

¡Calla! La visteis hermosa porque, no teniendo con quién compararla, se equilibró ella sola en cada uno de vuestros ojos; pero contrapesad en esas balanzas cristalinas la imagen de vuestra adorada con alguna otra doncella que yo os mostraré resplandeciente en ese festín, y apenas os parecerá bien la que juzgáis ahora superior.

ROMEO

Iré; no para presenciar el espectáculo de tales hermosuras, sino para recrearme en el esplendor de la mía.
(Salen.)

Escena III

Salón en casa de Capuleto.
Entran LADY CAPULETO *y la* NODRIZA.

LADY CAPULETO
Nodriza, ¿dónde está mi hija? Llámala, que venga.

NODRIZA
¡Pues por mi doncellez a los doce años, que la he mandado venir! ¡Eh, cordera!... ¡Eh, pimpollo!... ¡No quiera Dios!... ¿Dónde está esa muchacha? ¡Eh, Julieta!

(Entra JULIETA.*)*

JULIETA
¡Ya, ya! ¿Quién me llama?

NODRIZA
Vuestra Madre.

JULIETA
Aquí me tenéis, señora. ¿Qué deseáis?

LADY CAPULETO
El asunto es éste... Déjanos solas un momento, nodriza; tenemos que hablar en secreto... ¡Vuelve acá, nodriza! Lo he pensado mejor; debes oír nuestra plática. Ya sabes que mi hija está en una edad razonable.

NODRIZA

¡Por mi fe! Puedo decir su edad sin equivocarme una hora.

LADY CAPULETO

Todavía no ha cumplido los catorce.

NODRIZA

Apostaría catorce de mis dientes (aunque, con sentimiento lo digo, no tengo sino cuatro) a que, en efecto, no ha cumplido los catorce. ¿Cuánto falta para la Fiesta del Pan?[1]

LADY CAPULETO

Poco más de dos semanas.

NODRIZA

Pues, pares o nones, de todos los días del año, la víspera de la fiesta, por la noche, cumplirá los catorce. Susana y ella (¡Dios ampare las almas de todos los cristianos!) tenían una misma edad. Bien. Susana está con Dios; era demasiado buena para mí... Pero, como digo, la víspera de la fiesta, por la noche, cumplirá los catorce. A fe que sí. Lo recuerdo bien. Del terremoto hace ahora once años, y entonces fue destetada... Nunca lo

---

1. *How long is it now to Lammas-tide?* Vierten mal la frase todos los traductores españoles, menos Roviralta, que interpreta *Lammas-tide* por «primero de agosto». Mejor es traducirlo por «Fiesta del Pan» o «Misa del Pan», que se celebra en los pueblos anglosajones, y en la que se ofrecía un pan como primicia de la cosecha de trigo, realmente no el día 1 de agosto, sino el 10, porque los expresados pueblos no habían computado todavía con la corrección gregoriana. *(N. del T.)*

olvidaré... De todos los días del año, fue justamente aquél. Porque yo me había untado antes los pezones con ajenjo, y me hallaba sentada al sol, bajo la pared del palomar. Mi señor y vos estabais a la sazón en Mantua. ¡Que si tengo yo un cerebro!... Pues, como decía, cuando probó el ajenjo del pezón de mi pecho y lo encontró amargo, ¡preciosa tontuela!, era de ver su enojo y cómo se enfadó con él. A todo esto, comenzó a crujir el palomar. No fue preciso, os aseguro, rogarme que me pusiera en salvo. Y desde aquel tiempo hace once años, porque entonces podía tenerse solita en pie; ¡qué digo!, por mi palabra, podía ya correr y tropezar por todas partes, pues precisamente el día anterior se hirió en la frente. Y entonces mi marido (¡que en gloria esté!), que era hombre jovial, levantó a la chiquilla y le dijo: «Vaya, ¿te caes de bruces? Cuando tengas más juicio, te caerás de espaldas. ¿No es verdad, Julia?». Y, por Nuestra Señora, la linda picaruela dejó de llorar inmediatamente y exclamó: «Sí». ¡A ver ahora si una broma va a llegar a veras! Mil años que yo viviese, os aseguro que no lo olvidaría. «¿No es verdad, Julia?», dijo él; y la linda chicuela se reprimió, y dijo: «Sí».

LADY CAPULETO
Basta de eso. Por favor, cállate.

NODRIZA
Sí, señora; pero no puedo menos de reírme al pensar que cesó de llorar, y dijo: «Sí», y en que, os lo garantizo, tenía un chichón en la frente tan grueso como un huevo de gallipollo; un golpe formidable; y ella lloraba

desoladamente. «Vaya –dijo mi marido–, ¿te caes de bruces? Cuando seas mayor te caerás de espaldas. ¿No es verdad, Julia?». Y ella se reprimió, y dijo: «Sí».

JULIETA
Y reprímete tú también, por favor, nodriza, te digo.

NODRIZA
Silencio; he dado fin. ¡Que Dios te favorezca con su gracia! Eres la criatura más bonita que yo he criado. Si pudiera vivir por verte un día desposada, se habrían cumplido mis deseos.

LADY CAPULETO
A fe que de desposorio era el tema de que iba a hablar. Dime, Julieta, hija mía: ¿sientes inclinación a casarte?

JULIETA
Es un honor en que nunca he soñado.

NODRIZA
¡Un honor! De no ser yo tu única nodriza, diría que habías extraído la sabiduría de los pechos a que te crié.

LADY CAPULETO
Bien; tiempo es ya de pensar en el matrimonio. Otras más jóvenes que vos hay aquí, en Verona, damas de gran estimación, que ya son madres. Si no recuerdo mal, yo misma era vuestra madre mucho antes de esa edad en que vos sois todavía una doncella. Así, pues, en breves palabras: el animoso Paris os solicita por esposa.

NODRIZA

¡Qué hombre, señorita! Señora, es un hombre como el mundo entero. ¡Qué! ¡Una figura de cera!

LADY CAPULETO

El estío de Verona no tiene una flor semejante.

NODRIZA

Ya lo creo que es una flor, y, por mi fe, una flor excelentísima.

LADY CAPULETO

¿Qué decís? ¿Podréis amar a ese hidalgo? Esta noche le veréis en nuestra fiesta. Leed en el libro del rostro de Paris y descubrid allí el encanto escrito con la pluma de la gentileza. Reparad en la armonía de cada una de sus facciones y ved cómo una a otra se prestan realce, y si algo oscuro encontráis en este bello libro, lo hallaréis dilucidado en el margen de sus ojos. A este precioso libro de amor, a este amante en rústica, para completar su hermosura, sólo le falta la cubierta. El pez vive en el agua, y es gran honor para la belleza exterior cubrir la interior belleza. El libro que conteniendo una áurea leyenda está adornado con broches de oro participa de la gloria de ellos a los ojos de la multitud. De igual modo, vos, teniéndole a él, participaréis de cuanto posee, sin disminución alguna.

NODRIZA

¡Disminución! ¡Quia! ¡Aumento! Las mujeres engruesan junto a los hombres.

LADY CAPULETO

Decidlo brevemente. ¿Veréis con agrado el amor de
Paris?

JULIETA

Veré de amarle, si el ver mueve el amor; pero las fle-
chas de mis ojos no irán más lejos de lo que permita el
impulso que preste a su vuelo vuestro permiso.

CRIADO

Señora, ya han venido los convidados; la cena está dispuesta; os llaman; preguntan por la señorita; en el oficio reniegan de la nodriza, y todo anda revuelto. Tengo
que irme a servir. Os suplico que me sigáis inmediatamente.

LADY CAPULETO

Te seguimos. *(Sale el* CRIADO.*)* Julieta, el conde espera.

NODRIZA

¡Anda, muchacha, busca felices noches a los felices
días! *(Salen.)*

Escena IV

Una calle.
Entran ROMEO, MERCUCIO, BENVOLIO, *con cinco o seis*
ENMASCARADOS, *portadores de antorchas y otros.*

ROMEO

¡Qué! ¿Recitamos este discurso[1] en excusa nuestra, o
penetramos sin apología?

BENVOLIO

¡La época rechaza ya esos circunloquios! No vamos
ahora a llevar a Cupido cubierto con una venda y en la
mano un arco tártaro, hecho de un listón de madera
pintada, asustando a las damas como un espantapája-
ros, ni tampoco a anunciar nuestra entrada con un
prólogo sin libro, pronunciado desmayadamente por
el apuntador. ¡Que nos midan como quieran! Nosotros les mediremos una medida[2], y nos vamos.

ROMEO

¡Dadme una antorcha! No estoy para esos contoneos;
y pues me encuentro tenebroso, debo llevar la luz.

MERCUCIO

¡Cómo, gentil Romeo! ¡Queremos que bailéis!

---

1. Era costumbre antigua, para penetrar en un baile sin estar invitado, el
recitar un discurso disculpando la intrusión. Dicha costumbre iba desapa-
reciendo en tiempos de nuestro poeta. *(N. del T.)*
2. *A measure,* «la medida», era un baile del tiempo, lento y grave. *(N. del T.)*

ROMEO

¡No, creedme! Vosotros lleváis zapatos de baile, con suelas ligeras. Yo tengo el alma de plomo, que me deja clavado en el suelo sin poder moverme.

MERCUCIO

¡Sois un enamorado! ¡Pedidle a Cupido os preste sus alas, y remontaos con ellas hasta las cumbres!

ROMEO

¡Demasiado cruelmente herido estoy por su flecha para que pueda remontarme con sus leves alas; y un postrado me tiene, que no puedo elevarme más allá de la negra pesadumbre! ¡Caigo agobiado bajo la carga abrumadora del amor!

MERCUCIO

¡Pues como caigáis encima, aplastaréis al amor con vuestro peso! Es mucha opresión para tan tierno ser.

ROMEO

¿Tierno ser el amor? ¡Demasiado áspero, demasiado rudo, demasiado violento, y pincha como el abrojo!

MERCUCIO

Si el amor es áspero con vos, sed vos áspero con él; si os pincha, pinchadle, y acabad por rendirle. ¡Dadme un estuche donde poner mi rostro! *(Colocándose un antifaz.)* ¡Una careta para otra careta! ¿Qué me importa que algún ojo curioso advierta ahora mis deformidades? ¡He aquí estas mejillas postizas, que se ruborizarán por mí!

BENVOLIO

¡Vamos, llamad, y adelante! Y tan pronto como entremos, que cada cual se cuide sólo de sus piernas[1].

ROMEO

¡Una antorcha para mí! ¡Los livianos de corazón risueño hagan cosquillas con sus talones a los insensibles juncos! Por mi parte, me atengo al refrán del abuelo: «Yo seré portacandela y miraré». «La partida no se presentó nunca tan bella, y yo la abandono»[2].

MERCUCIO

¡Bah! «El caballo bayo es ratón», que dijo el corchete. Si eres caballo bayo, te sacaremos de ese barrizal de tu reverendísimo amor en que te hallas hundido hasta las orejas[3]. ¡Vamos, que estamos alumbrando a la luz del día, eh!

ROMEO

No, eso no es así.

---

1. Quiere decir Benvolio que, haciéndose los distraídos, sin preocuparse de otra cosa que de bailar, no advertirán que son partidarios de la casa Montesco. *(N. del T.)*
2. Según Clarke, alude aquí Shakespeare a dos antiguos proverbios ingleses: «Un buen portacandela o portaantorcha [esto es, un simple espectador, pues ha de llevar la luz] es un buen jugador»; y el otro: «Lo más racional es dejar el juego cuando se presenta propicio». *(N. del T.)*
3. El «caballo bayo» era un juego campestre, llamado así por consistir en extraer del fango por los jugadores un caballo de madera, o un leño representándolo, y algunas veces un hombre. *(N. del T.)*

MERCUCIO

Quiero decir, señor, que con estas dilaciones consumimos en vano nuestras luces como lámparas en pleno día. Advierte nuestra intención, pues nuestro juicio está cinco veces en ella antes que una sola en nuestras potencias[1].

ROMEO

Y nuestra intención de concurrir a esa mascarada es también buena; pero constituye una falta de juicio.

MERCUCIO

¿Por qué? ¿Puede saberse?

ROMEO

Tuve un sueño anoche...

MERCUCIO

Y yo otro.

ROMEO

Bien; ¿y qué soñasteis?

MERCUCIO

Que los soñadores suelen mentir[2].

---

1. Hoy son tres, como es sabido: memoria, entendimiento y voluntad; pero antiguamente dividíanse en cinco, como hace observar Deighton, a saber: sentido común, imaginación, juicio, memoria y fantasía. *(N. del T.)*
2. *That dreamers often lie,* juego de palabras con la frase que sigue, pues lie significa a la vez «mentira» y «estar echado». *(N. del T.)*

ROMEO

Dormidos en su cama en tanto sueñan cosas verídicas.

MERCUCIO

¡Oh! Ya veo, pues, que ha estado con vos la reina Mab.
Es la partera de las ilusiones, y llega, bajo un tamaño
no más grueso que el ágata que brilla en el dedo índice
de un regidor, arrastrada por un tronco de atomísticos
corceles, a pasearse por las narices de los hombres
mientras están dormidos. Los radios de las ruedas de
su carroza están fabricados de largas patas de araña; la
cubierta, de alas de saltamontes; las riendas, de finísi-
ma telaraña; los arneses, de húmedos rayos de luna; su
látigo, de un hueso de grillo; la tralla, de una hebra su-
til. Su cochero, un pequeño mosquito de librea gris, ni
la mitad grande como el redondo gusanillo que se ex-
trae con la punta de un alfiler del perezoso dedo de
una doncella. Su carroza es una cáscara de avellana, la-
brada por la carpintera ardilla o el viejo gorgojo, desde
antiguos tiempos artífices de carruajes de hadas. Y en
ese tren galopa, noche tras noche, por los cerebros de
los enamorados, que en seguida sueñan con amores;
sobre las rodillas de los cortesanos, que al punto sueñan con reverencias; por los dedos de los abogados,
que al instante sueñan con minutas; sobre los labios de
las damas, que acto seguido sueñan con besos, labios
que Mab, enfurecida, infecta a menudo, atormentán-
dose con ampollas, por haber viciado el aliento con go-
losinas aromáticas. Algunas veces cabalga sobre la nariz de un palaciego, y entonces sueña que ventea una
promoción; y otras, con el robo de un lechón del diez-

mo, cosquillea en la nariz de un párroco mientras está dormido, e instantáneamente sueña en la prebenda inmediata. También se la ve pasear por el cuello de un soldado, y al momento sueña con degüellos de enemigos, brechas, emboscadas, hojas españolas, brindis y tragos de cinco codos. Y entonces suena de repente el tambor en sus oídos, con lo cual él da un salto y se levanta, y con semejante susto reniega una oración o dos y se duerme de nuevo. Esta Mab es la misma que trenza las crines de los caballos en la noche y conglutina las greñas de los duendes en sucios y feos nudos, que una vez desenmarañados pronostican grandes desventuras. Ésta es la bruja que, cuando las doncellas duermen de espaldas, las oprime y las enseña a resistir por primera vez, haciendo de ellas mujeres de buen llevar. Ésta es la...

ROMEO
¡Silencio! ¡Silencio, Mercucio, silencio! Estás hablando de nada.

MERCUCIO
Es verdad, hablo de sueños, que son los vástagos de una mente ociosa, engendrados únicamente por la vana fantasía, tan insustancial como el aire y más mudable que el viento que ahora acaricia el seno helado del Norte, y que, después de irritado, brama desde allí, volviendo la cara al Sur, destilador de rocío...

BENVOLIO
Ese viento de que habláis nos aleja de nosotros mismos. La cena habrá acabado, y llegaremos demasiado tarde.

ROMEO

Temo que demasiado temprano, pues mi corazón presiente que alguna fatalidad, todavía suspendida en las estrellas, comenzará amargamente su temible curso con los regocijos de esta noche y pondrá fin a la despreciable vida que encierra mi pecho por algún golpe vil de prematura muerte. Pero ¡que Aquel que gobierna el timón de mi existencia guíe mi nave! ¡Adelante, alegres caballeros!

BENVOLIO

¡Bate, tambor![1] *(Salen.)*

Escena V

Salón en casa de Capuleto.
MÚSICOS *esperando. Entran* CRIADOS *con servilletas.*

CRIADO 1.º

¿Dónde está Cacerola, que no ayuda a servir? ¡Quitar él un plato! ¡Fregar él un plato!

CRIADO 2.º

Cuando los buenos modales están en las manos de uno o dos solamente, y aun ellas sin lavar, la cosa es un asco...

1. Según Deighton, Benvolio dirige estas palabras a un enmascarado que figura al frente del cortejo y abre marcha batiendo un tambor. *(N. del T.)*

CRIADO 1.º
¡Afuera las banquetas plegadizas! ¡Apartad el apara-
dor! ¡Cuidado con la vajilla de plata!... Escucha, tú:
resérvame un pedazo de mazapán, y puesto que me
aprecias, deja que el portero permita entrar a Susana la
Molinera y a Leonor. ¡Antonio!... ¡Cacerola!

CRIADO 3.º
¡Ya vamos, muchachos!

CRIADO 1.º
¡Os necesitan, os llaman, preguntan por vosotros y os
buscan en el salón grande!

CRIADO 3.º
¡No podemos estar aquí y allá a la vez! ¡Vivo, muchachos! ¡Despachad, y el que se quede el último cargue
con todo! *(Se retiran hacia el foro.)*

> *(Entran* CAPULETO, JULIETA *y otras per-*
> *sonas de su familia, con los convidados y*
> *máscaras.)*

CAPULETO
¡Bien venidos, caballeros! Las damas a quienes no
aprieten los zapatos darán una vuelta con vosotros.
¡Ajajá, señoras mías! ¿Cuál de todas vosotras se negará
ahora a bailar? La que se muestre remilgada, juraré
que le aprietan los zapatos. ¿Ando cerca de lo cierto?
¡Bien venidos, caballeros![1]. En mis buenos tiempos

---

1. Palabras dirigidas a nuevos invitados que entran. *(N. del T.)*

también yo gastaba antifaz y sabía susurrar algún cuentecillo en los oídos de una bella dama, que solía deleitarme... Todo pasó, todo pasó, todo pasó... ¡Sed bien venidos, caballeros![1]. ¡Vaya, músicos, a tocar!... ¡Sitio, sitio! ¡Despejad un poco y pies ligeros, niñas! *(Suena la música y bailan.)* ¡Más luz, muchachos! ¡Retirad las mesas y apagad el fuego, que hace demasiado calor en la sala! ¡Hola, compadre! Esta fiesta inesperada nos viene a las mil maravillas. ¡Vaya, sentaos, pues, querido primo Capuleto! Para vos y para mí pasó el tiempo de bailar. ¿Cuánto hará desde la última vez que estuvimos en un baile de máscaras?

CAPULETO 2.º
¡Virgen santa! ¡Treinta años!

CAPULETO
¡Qué decís, hombre! ¡No tanto! ¡No tanto, no tanto! Desde la boda de Lucencio acá, venga Pentecostés tan aprisa como quiera, hace veintiocho años, y entonces nos disfrazamos.

CAPULETO 2.º
Hace más; su hijo tiene más edad, señor. Ha cumplido ya los treinta.

---

1. La tradición escénica señala este momento como la llegada de Romeo, Benvolio, Mercucio y cuantos personajes desfilaron en la escena anterior. A ellos se dirige el saludo de Capuleto. Como de costumbre, Shakespeare no lo acota. *(N. del T.)*

CAPULETO

¿Me lo diréis a mí? Mi hijo no hace más de dos años que salió de tutela.

ROMEO *(A un* CRIADO.)

¿Quién es aquella dama que enriquece la mano de aquel galán?[1]

CRIADO

No la conozco, señor.

ROMEO[2]

¡Oh!... ¡De ella debe aprender a brillar la luz de las antorchas! ¡Su hermosura parece que pende del rostro de la noche como una joya inestimable en la oreja de un etíope! ¡Belleza demasiado rica para gozarla, demasiado preciosa para la tierra! ¡Como nívea paloma entre cuervos se distingue esa dama entre sus compañeros! Acabado el baile, observaré dónde se coloque, y con el contacto de su mano haré dichosa mi ruda diestra. ¿Por ventura amó hasta ahora mi corazón? ¡Ojos, desmentidlo! ¡Porque hasta la noche presente jamás conocí la verdadera hermosura!

TEOBALDO

Ése, por su voz, es un Montesco. ¡Tráeme mi estoque, muchacho! ¿Cómo el miserable se atreve a venir hasta

1. *Of yonder knight?* El caballero o galán que tiene cogida la mano de Julieta supónese que sea Paris. *(N. del T.)*
2. Romeo queda tan hechizado ante la belleza de Julieta, que no se recata de hablar en voz alta en el domicilio de su adversario. *(N. del T.)*

aquí, cubierto con un grotesco antifaz, para hacer burla y escarnio de nuestra brillante fiesta? Pues ¡por la estirpe y honor de mi familia que le mataré a estocadas sin ningún remordimiento!

CAPULETO

¿Qué hay, qué pasa, sobrino? ¿Por qué os alteráis así?

TEOBALDO

¡Tío, ése es un Montesco, un enemigo nuestro, un villano, que, por despecho, ha venido hasta aquí para burlarse esta noche de nuestra fiesta!

CAPULETO

¿Es el joven Romeo?

TEOBALDO

¡El mismo, ese villano Romeo!

CAPULETO

Cálmate, gentil sobrino; déjale en paz, pues se porta como un noble hidalgo. Y, a decir verdad, Verona está orgullosa de un joven tan virtuoso y de tan intachable conducta. Ni a cambio de todos los tesoros de esta villa quisiera yo inferirle en mi casa el menor ultraje. Por tanto, repórtate y no te ocupes de él. Éste es mi deseo, que, si respetas, debes mostrar un aspecto jovial y desarrugar ese ceño, fiero talante que cuadra mal en una fiesta.

TEOBALDO

¡Es la mejor actitud cuando entre los invitados hay un canalla semejante! ¡No lo sufriré!

CAPULETO

¡Lo sufriréis! ¡Caramba con el caballerito! ¡Lo sufriréis, os digo! ¡Vaya! ¿Soy yo aquí quien manda, o vos?
¡Vaya! ¡Que no lo sufriréis! ¡Dios me perdone!...
¿Vais a armar un motín entre mis convidados? ¡Queréis levantar mucho el gallo! ¡Queréis ser el bravo!

TEOBALDO

Pero tío, ¡eso es una vergüenza!

CAPULETO

¡Andad, andad! ¡Sois un muchacho impertinente!
¿Conque una vergüenza, además? ¡Esa broma puede
costaros caro; sé lo que me digo! ¡A mí contrariarme!
¡Pues, sí, en buena ocasión! ¡Bravo, hijos míos![1] ¡Sois
un mequetrefe, andad! Estaos quieto, o... ¡Más luz,
más luz! ¡Conque una vergüenza! ¡Yo haré que os
aquietéis! ¡Vaya, animaos, hijos míos!

TEOBALDO

¡La paciencia impuesta, en unión con mi cólera tenaz,
hace temblar mis carnes en sus diversos choques! ¡Me
retiraré; pero esta intrusión, que ahora parece dulce, se
convertirá en amarguísima hiel! *(Sale.)*

ROMEO *(A* JULIETA.*)*

Si con mi mano, por demás indigna, profano este santo
relicario, he aquí la gentil expiación: mis labios, como

1. *Well said, my hearts.* Literalmente: «Bien dicho, corazones míos». Estas
palabras se dirigen a los que van bailando, para disimular la indignación
con que habla Capuleto a su sobrino. *(N. del T.)*

dos ruborosos peregrinos, están prontos a suavizar con un tierno beso tan rudo contacto.

JULIETA
Buen peregrino, injusto hasta el exceso sois con vuestra mano, que en esto sólo muestra respetuosa devoción, pues los santos tienen manos a las que tocan las manos de los peregrinos, y enlazar palma con palma es el ósculo de los piadosos palmeros[1].

ROMEO
¿Y no tienen labios los santos, y labios también los piadosos palmeros?

JULIETA
Sí, peregrino; labios que deben usar en la oración.

ROMEO
¡Oh! Entonces, santa adorada, deja que hagan los labios lo que las manos hacen. ¡Ellos te rezan, accede tú para que la fe no se cambie en desesperación!

JULIETA
Los santos no se mueven, aunque accedan a las plegarias.

ROMEO
Pues no os mováis mientras recojo el fruto de mis preces. *(Besándola.)* ¡Así, mediante tus labios, quedan los míos libres de pecado!

---

1. Sabido es que se llamaban palmeros los peregrinos de Tierra Santa, por usar en sus romerías una palma como distintivo. *(N. del T.)*

JULIETA

De este modo pasó a mis labios el pecado que los vuestros han contraído.

ROMEO

¿Pecado de mis labios? ¡Culpa deliciosamente reprochada! ¡Devolvedme mi pecado!

JULIETA

Besáis según el ritual.

NODRIZA

Señorita, vuestra madre desea deciros una palabra.

ROMEO

¿Quién es su madre?

NODRIZA

¡Pardiez, mancebo! Su madre es la señora de la casa, y una buena señora, prudente y virtuosa. Yo he criado a su hija, esa con quien hablabais, y os juro que el que logre conseguirla se llevará un tesoro[1].

ROMEO

¿Es una Capuleto? ¡Oh, cara cuenta! Soy deudor de mi vida a mi adversario.

1. Eufemismo nuestro. En el original, la frase es subida de tono: *Shall have the chinks* –tendrá el *chinks*–. *Chinks* es una palabra onomatopéyica, que expresa el sonido de las monedas y alude al propio tiempo a la virginidad. Esto sabido, pueden imaginarse los lectores el significado de «tendrá el chinks...». *(N. del T.)*

BENVOLIO

¡Afuera! ¡Vámonos! La fiesta llegó a todo lo más.

ROMEO

¡Sí, tal lo temo y mayor es mi inquietud!

CAPULETO

¡Eh, caballeros, no os dispongáis a salir! Nos aguarda un modesto e insignificante banquete. ¿Insistís?[1] Pues, entonces, gracias a todos. ¡Gracias, respetables caballeros! ¡Buenas noches! ¡Más antorchas aquí![2] ¡Adelante, pues! ¡Vamos al lecho! ¡Hola, compadre![3] Por mi fe, va haciéndose tarde. ¡A descansar! *(Salen todos, menos* JULIETA *y la* NODRIZA.*)*

JULIETA

Ven acá, nodriza. ¿Quién es aquel caballero?

NODRIZA

El hijo y heredero del viejo Tiberio.

JULIETA

¿Quién es aquel que ahora transpone la puerta?

NODRIZA

¡Pardiez! Ése creo que es el joven Petruchio.

---

1. Sin duda, Romeo y sus compañeros se excusan con ademanes. *(N. del T.)*
2. Frase dirigida a los criados. *(N. del T.)*
3. Alusión al anciano Capuleto, su primo. *(N. del T.)*

JULIETA

¿Y el que le sigue, el que no quería bailar?

NODRIZA

No le conozco.

JULIETA

Anda a preguntar su nombre. ¡Si es casado, mi tumba se me figura mi lecho nupcial!

NODRIZA[1]

Se llama Romeo y es un Montesco. El único hijo de vuestro mayor enemigo.

JULIETA

¡Mi único amor, nacido de mi único odio! ¡Demasiado pronto le vi, sin conocerle, y demasiado tarde le he conocido! ¡Prodigioso principio de amor que tenga que amar a un aborrecido adversario!

NODRIZA

¿Qué es eso? ¿Qué es eso?

JULIETA

Unos versos que aprendí ahora de uno con quien bailaba. *(Una voz dentro:* «¡Julieta!».)

---

1. No puede por menos de advertirse el escasísimo tiempo que se da a la Nodriza para que salga, pregunte el nombre de Romeo y vuelva. Sin duda, en la representación seguía una corta pausa a las últimas palabras de Julieta. *(N. del T.)*

NODRIZA

¡En seguida, en seguida! Venid, salgamos. Todos los invitados se fueron ya. *(Salen.)*

Acto II

Prólogo

Entra el Coro.

Coro

Ahora yace el antiguo deseo en su lecho de muerte, y
una nueva pasión aspira a ser su heredera. La hermosura por quien suspiraba el amante y quería morir ha
perdido su encanto, comparada con la tierna Julieta.
Ahora Romeo es amado, y ama a su vez, igualmente
embrujado por el hechizo de las miradas. Pero él debe
expresar sus querellas a su supuesta enemiga, y ella
preservar de terribles anzuelos el cebo del amor. Como
sea adversario, no puede tener acceso para alentarla
con aquellas promesas que se estilan entre amantes. Y
ella, del mismo modo enamorada, cuenta aún con menos medios para verse en alguna parte con su recién

amado. Pero la pasión les presta fuerza y medios el tiempo para hallarse, compensando su extremada desgracia con extremada dulzura. *(Sale.)*

Escena primera

Una callejuela, junto a las tapias del jardín de Capuleto.
Entra ROMEO.

ROMEO

¿Puedo ir más lejos, cuando mi corazón está aquí? ¡Vuelve atrás, tosco barro, y halla tu centro! *(Se encarama en la tapia y salta adentro.)*

(Entran BENVOLIO *y* MERCUCIO.)

BENVOLIO

¡Romeo, primo Romeo!

MERCUCIO

Es un muchacho de talento, y, por mi vida, que se ha ido a su casa a acostar.

BENVOLIO

Seguía esta dirección, y ha saltado las tapias de este jardín. ¡Llámale, buen Mercucio!

MERCUCIO

¡Bah! Y le conjuraré también. ¡Romeo!... ¡Caprichos!... ¡Locura!... ¡Pasión!... ¡Amante!... ¡Aparécete en forma de suspiro! Recita un verso siquiera, y me doy por satisfecho. Exclama tan sólo: «¡Ay de mí!». Rima únicamente «amor» con «dolor». Suelta un piropo a mi comadre Venus y pon un apodo a su hijo y ciego heredero, el viejo Adam Cupido, el que disparó tan certeramente cuando el rey Cofetua se enamoró de la doncella mendiga... No oye, no se agita, no se mueve. ¡El pobre está muerto y debemos conjurarlo!... ¡Te conjuro por los brillantes ojos de Rosalina, por su altiva frente y sus labios de escarlata, por su fino pie, esbelta pierna y trémulo muslo, y los parajes allí adyacentes, para que te nos aparezcas en tu propia figura!

BENVOLIO
Si te oye, le vas a enojar.

MERCUCIO
Esto no puede enojarle. Lo que le enojaría sería evocar un espíritu de extraña naturaleza en el círculo de su dama, dejándole allí erguido hasta que ella lo abatiera y lo conjurara. Esto le causaría algún despecho; pero mi invocación es razonable y honesta, y sólo le conjuro en nombre de su amada para hacerle a él sufrir.

BENVOLIO
Vamos, se habrá ocultado entre estos árboles, para estar en consorcio con la vaporosa noche. Su amor es ciego, y le conviene más la oscuridad.

MERCUCIO
¡Si su amor es ciego, no puede dar en el blanco! ¡Ahora estará sentado bajo un níspero, y deseando que su

dama sea esa especie de fruta a que se refieren las doncellas níspolas[1] cuando ríen a solas! ¡Oh Romeo!, si ella fuese, ¡oh!, si ella fuese un etcétera, abierto y tú una pera poperina[2]. ¡Romeo, buenas noches! ¡Me voy a mi cama de ruedas! ¡Este lecho de césped es demasiado frío para dormirme! Vaya, ¿nos vamos?

BENVOLIO

Vámonos, pues. Porque es inútil buscar aquí a quien no quiere que le encuentren. *(Salen)*.

Escena II

El jardín de Capuleto.
Entra ROMEO.

ROMEO

¡Se burla de las llagas el que nunca recibió una herida!

(JULIETA *aparece arriba, en una ventana.)*

---

1. Llegamos ya al punto en que se desenvuelve con entera amplitud el carácter galante, dicharachero y atrevido de Mercucio, apurador de vocablos, anfibologías, *calembours* y equívocos licenciosos. Shakespeare supo llevar sus agudezas a un término que la tradición ha conservado un dicho suyo según el cual se vio obligado a matar a Mercucio en el acto tercero por temor a que Mercucio lo matara a él. Esto sabido, no hay que asustarse de la palabra medlars (níspolas), que se pronuncia casi como *meddlerarse*, que equivale a operarse (orificio rectal). En el transcurso de la obra veremos más atrevimientos aún. *(N. del T.)*
2. *Poperin pear.* Sigue el juego obscenísimo de palabras. La pera poperina era oriunda de Poperinghe (Flandes). *(N. del T.)*

Pero, ¡silencio!, ¿qué resplandor se abre paso a través de aquella ventana? ¡Es el Oriente, y Julieta el sol! ¡Surge, esplendente sol, y mata a la envidiosa luna, lánguida y pálida de sentimiento porque tú, su doncella, la has aventajado en hermosura! ¡No la sirvas, que es envidiosa! Su tocado de vestal es enfermizo y amarillento, y no son sino bufones los que lo usan. ¡Deséchalo! ¡Es mi dueño! ¡Oh, es mi amor! ¡Oh, si ella lo supiera!... Habla...; mas nada se escucha; pero ¿qué importa? ¡Hablan sus ojos; les responderé!... Soy demasiado atrevido. No es a mí a quien habla. Dos de las más resplandecientes estrellas de todo el cielo, teniendo algún quehacer, ruegan a sus ojos que brillen en sus esferas hasta su retorno. ¿Y si los ojos de ella estuvieran en el firmamento y las estrellas en su rostro? ¡El fulgor de sus mejillas avergonzaría a esos astros, como la luz del día a la de una lámpara! ¡Sus ojos lanzarían desde la bóveda celeste unos rayos tan claros a través de la región etérea, que cantarían las aves creyendo llegada la aurora!... ¡Mirad cómo apoya en su mano la mejilla! ¡Oh! ¡Quién fuera guante de esa mano para poder tocar esa mejilla!

JULIETA

¡Ay de mí!

ROMEO

Habla. ¡Oh! ¡Habla otra vez ángel resplandeciente!... Porque esta noche apareces tan esplendorosa sobre mi cabeza como un alado mensajero celeste ante los ojos

estáticos y maravillados[1] de los mortales, que se incli-
nan hacia atrás para verle, cuando él cabalga sobre las
tardas perezosas nubes y navega en el seno del aire.

JULIETA
¡Oh, Romeo, Romeo! ¿Por qué eres tú Romeo? Niega
a tu padre y rehúsa tu nombre; o, si no quieres, júrame
tan sólo que me amas, y dejaré yo de ser una Capuleto.

ROMEO *(Aparte.)*
¿Continuaré oyéndola, o hablo ahora?

JULIETA
¡Sólo tu nombre es mi enemigo! ¡Porque tú eres tú
mismo, seas o no Montesco! ¿Qué es Montesco? No
es ni mano, ni pie, ni brazo, ni rostro, ni parte alguna
que pertenezca a un hombre. ¡Oh, sea otro tu nombre! ¿Qué hay en tu nombre? ¡Lo que llamamos rosa
exhalaría el mismo grato perfume con cualquiera otra
denominación! De igual modo Romeo, aunque Romeo
no se llamara, conservaría sin este título las raras perfecciones que atesora. ¡Romeo, rechaza tu nombre; y, a
cambio de ese nombre, que no forma parte de ti, tómame a mí toda entera!

ROMEO
Te cojo tu palabra. Llámame sólo «amor mío», y seré
nuevamente bautizado. ¡Desde ahora mismo dejaré de
ser Romeo!

---

1. *Unto the white-upturned wondering eyes,* en el original. *(N. del T.)*

JULIETA

¿Quién eres tú, que así, envuelto en la noche, sorprendes de tal modo mis secretos?

ROMEO

¡No sé cómo expresarte con un nombre quién soy! Mi nombre, santa adorada, me es odioso, por ser para ti un enemigo. De tenerla escrita, rasgaría esa palabra.

JULIETA

Todavía no han librado mis oídos cien palabras de esa lengua, y conozco ya el acento. ¿No eres tú Romeo y Montesco?

ROMEO

Ni uno ni otro, hermosa doncella, si los dos te desagradan.

JULIETA

Y dime: ¿cómo has llegado hasta aquí, y para qué? Las tapias del jardín son altas y difíciles de escalar, y el sitio, de muerte, considerando quién eres, si alguno de mis parientes te descubriera.

ROMEO

Con ligeras alas de amor franqueé estos muros, pues no hay cerca de piedra capaz de atajar el amor; y lo que el amor puede hacer, aquello el amor se atreve a intentar. Por tanto, tus parientes no me importan.

JULIETA

¡Te asesinarán si te encuentran!

ROMEO

¡Ay! ¡Más peligro hallo en tus ojos que en veinte espadas de ellos! Mírame tan sólo con agrado, y quedo a prueba contra su enemistad.

JULIETA

¡Por cuanto vale el mundo, no quisiera que te viesen aquí!

ROMEO

El manto de la noche me oculta a sus miradas; pero, si no me quieres, déjalos que me hallen aquí. ¡Es mejor que termine mi vida víctima de su odio, que se retrase mi muerte falto de tu amor!

JULIETA

¿Quién fue tu guía para descubrir este sitio?

ROMEO

Amor, que fue el primero que me incitó a indagar; él me prestó consejo y yo le presté mis ojos. No soy piloto; sin embargo, aunque te hallaras tan lejos como la más extensa ribera que baña el más lejano mar, me aventuraría por mercancía semejante.

JULIETA

Tú sabes que el velo de la noche cubre mi rostro; si así no fuera, un rubor virginal verías teñir mis mejillas por lo que me oíste pronunciar esta noche. Gustosa quisiera guardar las formas, gustosa y gustosa negar cuanto he hablado; pero ¡adiós cumplimientos! ¿Me amas? Sé que dirás: sí, y yo te creeré bajo tu palabra. Con todo, si lo jurases, podría resultar falso, y de los perjurios de los amantes dicen que se ríe Júpiter. ¡Oh gentil Romeo! Si de veras me quieres, declaralo con sinceridad; o, si piensas que soy demasiado ligera, me pondré desdeñosa y esquiva, y tanto mayor será tu empeño en galantearme; pero, de otro modo, ni por todo el mundo. En verdad, arrogante Montesco, soy demasiado apasionada, y por ello tal vez tildes de liviana mi conducta; pero, créeme, hidalgo, daré pruebas de ser más sincera que las que tienen más destreza en disimular. Yo hubiera sido más reservada, lo confieso, de no haber tú sorprendido, sin que yo me apercibiese, mi verdadera pasión amorosa. ¡Perdóname, por tanto, y no atribuyas a liviano amor esta flaqueza mía, que de tal modo ha descubierto la oscura noche!

ROMEO
Señora, juro por esa luna bendita, que corona de plata las copas de estos árboles frutales...

JULIETA
¡Oh! No jures por la luna, por la inconstante luna, que cada mes cambia al girar en su órbita, no sea que tu amor resulte tan variable.

ROMEO
¿Por qué jurar, entonces?

JULIETA

¡No jures en modo alguno; o si quieres, jura por tu graciosa persona, que es el dios de mi idolatría, y te creeré!

ROMEO

Si el profundo amor de mi pecho...

JULIETA

Bien; no jures. Aunque eres mi alegría, no me alegra el pacto de esta noche; es demasiado brusco, demasiado temerario, demasiado repentino, demasiado semejante al relámpago que se extingue antes que podamos decir: «¡El relámpago!...». ¡Cariño, buenas noches! Este capullo de amor, madurado por el hálito ardiente del estío, tal vez se haya convertido en flor galana cuando volvamos a vernos. ¡Buenas noches! ¡Buenas noches! ¡Tan dulce reposo y sosiego alcance tu corazón, como el que alienta dentro de mi pecho!

ROMEO

¡Oh! ¿Quieres dejarme así, tan poco satisfecho?

JULIETA

¿Qué satisfacción puedes lograr esta noche?

ROMEO

El cambio con el mío de tu fiel juramento de amor.

JULIETA

Te lo entregué antes de tú pedírmelo, y aún quisiera dártelo de nuevo.

ROMEO

¿Me lo querrías quitar? ¿Con qué objeto, amor mío?

JULIETA

No sino para mostrarme generosa y dártelo otra vez. Mi liberalidad es tan ilimitada como el mar, y profundo como éste es mi amor. Cuanto más te entrego, tanto más me queda, pues uno y otro son infinitos. ¡Oigo ruido dentro! ¡Amor querido, adiós! *(La* NODRIZA *llama dentro.)* ¡Al instante, buena nodriza! ¡Dulce Montesco, seme fiel! ¡Espera un momento, sólo un momento! Vuelvo otra vez. *(Sale.)*

ROMEO

¡Oh bendita, bendita noche! ¡Cuánto temo, por ser ahora de noche, que todo esto no sea sino un sueño, demasiado encantador y dulce para que tenga realidad!

(Vuelve a entrar JULIETA *arriba.)*

JULIETA

¡Tres palabras, querido Romeo, y buenas noches, por tanto! Si tus pensamientos amorosos son honestos y tu fin el matrimonio, comunícamelo mañana por conducto de una persona que yo procuraré enviarte, señalándole dónde y a qué hora quieres que se verifique la ceremonia, y pondré mi suerte a tus pies y te seguiré por el mundo como a mi dueño y señor.

NODRIZA *(Dentro.)*

¡Julieta!

JULIETA

Voy en seguida... Pero si son perversas tus intenciones, te suplico...

NODRIZA *(Dentro.)*

¡Julieta!

JULIETA

Al momento voy... Te suplico cesen tus galanteos y me dejes abandonada a mi dolor. Mañana mandaré.

ROMEO

¡Ojalá sea tan feliz mi alma!

JULIETA

¡Mil veces buenas noches! *(Sale.)*

ROMEO

¡Malditas mil veces, faltando la luz tuya!... El amor corre hacia el amor, como los escolares huyen de sus libros; pero el amor se aleja del amor, como los niños se dirigen a la escuela, con ojos entristecidos. *(Se retira lentamente.)*

(Vuelve a entrar JULIETA *arriba.)*

JULIETA

¡Chis!... ¡Romeo, chis!... ¡Oh! ¡Quién tuviera la voz del halconero para atraer aquí de nuevo a este gentil azor! La esclavitud ha enronquecido y no puede hablar en voz alta. ¡De otro modo estremecería ya la caverna donde habita Eco y pondría su aérea lengua más ronca que la mía con la repetición del nombre de mi Romeo! ¡Romeo!...

ROMEO

¡Es mi alma, que me llama por mi nombre! ¡Qué dulce y argentina suena en medio de la noche la voz de los amantes! ¡Como suavísima música a los absortos oídos!

JULIETA

¡Romeo!...

ROMEO

¡Julieta mía!...

JULIETA

¿A qué hora te enviaré recado mañana?

ROMEO

A las nueve.

JULIETA

¡No faltaré! ¡Un siglo hay hasta entonces!... No recuerdo para qué te he llamado.

ROMEO

Déjame estar aquí hasta que lo recuerdes.

JULIETA

Lo olvidaría para tenerte siempre ahí, recordando cuán grata me es tu compañía.

ROMEO

Y yo esperaré siempre para que sigas en tu olvido, no acordándome de otro sitio sino de éste.

JULIETA

Casi amanece ya. Quisiera que te marchases, aunque no más lejos que el pajarillo de una niña juguetona, que lo suelta, dejando que brinque un poco, como pobre prisionero amarrado a sus grillos; y con un hilo de seda le atrae hacia sí otra vez, amorosamente celosa de su libertad.

ROMEO

Quisiera ser tu pajarillo.

JULIETA

Mi vida, también yo lo quisiera; aunque te mataría por exceso de halagos. ¡Buenas noches! ¡Buenas noches! ¡La despedida es un dolor tan dulce, que estaría diciendo «Buenas noches» hasta llegar el día! *(Sale.)*

ROMEO

¡Descienda el sueño sobre tus ojos y el descanso sobre tu pecho! ¡Quién fuera sueño y descanso para reposar tan deliciosamente!... Iré desde aquí a la celda de mi padre espiritual para pedirle ayuda y referirle mi buena suerte. *(Sale.)*

Escena III

Celda de Fray Lorenzo.
Entra Fray Lorenzo *con una cesta.*

Fray Lorenzo

La aurora de ojos grises sonríe a la torva noche, jaspeando las nubes orientales con franjas de luz, y la moteada oscuridad se tambalea como un beodo ante el sendero del día y las ruedas del fuego del Titán. Ahora antes que el sol avance su ojo abrasador para animar el día y secar el húmedo rocío de la noche, debo henchir esta cesta de mimbre de nocivas hierbas y flores de precioso jugo. La tierra, que es madre de la Naturaleza, es también su tumba. Lo que es su fosa sepulcral, es su materno seno; y nacidos de él y criados a sus pechos naturales, hallamos seres de especies diversas, excelentes muchos por sus muchas virtudes, ninguno sin alguna, y todos, no obstante, distintos. ¡Oh! Inmensa es la gracia poderosa que reside en hierbas, plantas, piedras y sus raras cualidades, porque no existe en la tierra nada tan vil que no rinda a la tierra algún beneficio especial; ni hay cosa tan buena que, desviada de su bello uso, trastorne su verdadero origen, cayendo en el abuso. La virtud misma conviértese en vicio, mal aplicada, y en ocasiones el vicio se dignifica por la acción. Dentro del tierno cáliz de esta débil flor residen el veneno y el poder medicinal. Por ello, oliéndola, deleita a todas y cada una de las partes del cuerpo; pero gustándola, mata el corazón y los sentidos. De igual modo acampan siempre en el hombre y en las plantas dos potencias enemigas: la benignidad y la malignidad; y cuando predomina la peor, muy pronto la gangrena de la muerte devora aquella planta.

(Entra ROMEO.*)*

ROMEO
¡Feliz madrugada, padre!

FRAY LORENZO
Benedicite! ¿Qué voz matinal tan dulcemente me saluda? Hijito mío, despedirse tan pronto del lecho arguye un ánimo intranquilo. El cuidado vela constantemente en los ojos del anciano, y allí donde el cuidado asienta nunca yacerá el sueño; pero donde la juventud ilesa, con el cerebro libre de zozobras, se tiende para proporcionar reposo a los miembros, allí reina el sueño dorado. Por tanto, tu madrugar me denuncia que te ha despertado alguna inquietud, o, a no ser así, y creo que lo acierto, es que nuestro Romeo no se acostó anoche.

ROMEO
Eso último es la verdad. Mi reposo ha sido más dulce.

FRAY LORENZO
¡Perdone Dios el pecado! ¿Estuviste con Rosalina?

ROMEO
¿Con Rosalina, reverendo padre? No; he olvidado ese nombre y la amargura de ese nombre.

FRAY LORENZO

Eso es ser un buen hijo. Pero, entonces, ¿dónde estuviste?

ROMEO

Te lo diré, antes que vuelvas a preguntármelo. Estuve en un festín con mi enemigo, donde, de repente, me hirió una persona, a quien yo, a mi vez, herí. El remedio de ambos depende de tu amparo y santa medicina. Ningún otro abrigo, santo varón, pues, ya lo ves, mi intercesión favorece por igual a mi adversario.

FRAY LORENZO

Sé llano y explícito, hijo mío, en lo que hayas de decir. Una confesión equívoca sólo encuentra una absolución.

ROMEO

Pues sabe, entonces, que el amor de mi corazón radica en la bella hija del rico Capuleto, y de igual modo que la amo, así soy de ella amado. Sólo, pues, falta para nuestra completa unión que tú nos unas en santo matrimonio. Dónde, cómo y cuándo nos vimos, nos enamoramos y cambiamos nuestros votos de amor, te lo referiré por el camino. Ahora lo que te ruego es que consientas en casarnos hoy mismo.

FRAY LORENZO

¡Por San Francisco bendito! ¿Qué cambio es ése? ¿Has olvidado tan pronto a Rosalina, a quien querías tan apasionadamente? Luego el amor de los jóvenes no está, de seguro, en el corazón, sino en los ojos. ¡Jesús, María! ¡Qué copioso llanto ha inundado tus mejillas por Rosalina! ¡Cuánta agua salobre vertida en vano para sazonar un amor que no tiene ni gusto de ella! ¡Todavía no ha disipado el sol en el cielo las nubes de tus suspiros! ¡En mis viejos oídos resuenan aún tus viejos lamentos! ¡Mira! ¡Aquí, sobre tu mejilla, aparece la huella de una antigua lágrima por borrar! Si algún día tú fuiste tú mismo y eran tuyas esas cuitas, tus cuitas y tú eran todo para Rosalina. ¿Y has cambiado? Pronuncia esta sentencia entonces: «Bien pueden caer las mujeres si no hay firmeza en los hombres».

ROMEO
Varias veces me has reprendido por amar a Rosalina.

FRAY LORENZO
Por idolatrarla, no por amarla, hijo mío.

ROMEO
Y me aconsejaste que enterrara ese amor.

FRAY LORENZO
Pero no en una tumba de la que hicieses surgir otro.

ROMEO
¡No me reprendas, te lo suplico! La que ahora amo paga firmeza con firmeza, amor con amor. No se portaba así la otra.

FRAY LORENZO

¡Oh! Ella sabía bien que tu amor recitaba de memoria sin haber aprendido a deletrear. Pero, vamos, mozo inconstante, ven conmigo. Te ayudaré por una razón: porque esta alianza puede ser provechosa, cambiando en puro afecto el rencor de vuestras familias.

ROMEO

¡Oh! ¡Partamos! Me importa proceder con toda celeridad.

FRAY LORENZO

Despacio y con tiempo; que los que mucho corren se exponen a tropezar y a caer. *(Salen.)*

Escena IV

Una calle.
Entran BENVOLIO *y* MERCUCIO.

MERCUCIO

¿Dónde diablos estará ese Romeo? ¿No fue anoche a casa?

BENVOLIO

A la de su padre, no. He hablado con su criado.

MERCUCIO

¡Ah! Esa pálida mozuela de corazón empedernido, esa Rosalina, le atormenta de un modo que acabará por enloquecerlo.

BENVOLIO

Teobaldo, el pariente del viejo Capuleto, le ha enviado una carta a casa de su padre.

MERCUCIO

¡Por mi vida, cartel de desafío!

BENVOLIO

Romeo le contestará.

MERCUCIO

Cualquiera que sepa escribir puede contestar a una carta.

BENVOLIO

No; a quien contestará es a su dueño, y de la atrevida manera que gasta con quien se le atreve.

MERCUCIO

¡Ay, pobre Romeo! ¡Dale ya por muerto! Apuñalado por los ojos negros de una blanca mozuela, atravesado de parte a parte su oído por canciones amorosas, dividido el propio centro de su corazón por la certera flecha del ciego arquerito, ¿es hombre él para hacer frente a Teobaldo?

BENVOLIO

¡Bah! Pues ¿qué es Teobaldo?

MERCUCIO

¡Más que el príncipe de los gatos, os lo aseguro! ¡Oh! ¡Es el más valeroso capitán de los cumplimientos! ¡Se bate como cantarías tú una pieza a compás! Guarda tiempo, distancia y medida. Te da por descanso el silencio de una mínima: una, dos y la tercera en el pecho. El verdadero carnicero de botones de seda, un duelista, un caballero de alta prosapia, de la primera y segunda causa. ¡Ah! ¡El inmortal *pasado!* ¡El *punto reverso!* ¡El *hai!*

BENVOLIO

¿El qué?

MERCUCIO

¡La peste de tales estúpidos, pintureros y fantásticos petimetres! Esos nuevos afinadores de palabras: «¡Por Jesús, qué excelente espada! ¡Qué tío! ¡Vaya una puta de postín!». ¡Qué! ¿No es cosa lamentable, abuelo, que hayamos de vernos molestados por esos extranjerizantes moscones, esos figurines de moda, esos *pardonnez moi,* tan apegados a las nuevas formas que no pueden sentarse con comodidad en un banco viejo? ¡Oh sus *bons!* ¡Sus huesos!

(*Entra* ROMEO.)

BENVOLIO

¡Aquí viene Romeo, aquí viene Romeo!

MERCUCIO

¡Que viene más roído que una sardina arenque! ¡Oh carne, carne, cómo te has vuelto pecado! Ahora está por la lira de Petrarca. Laura, ante su dama, no era sino una ninfa fregatriz, aunque, por cierto, tuvo un amante más hábil para cantarla en sus rimas; Dido, una destrozona; Cleopatra, una gitana; Helena y Hero, busconas y meretrices; Tisbe, una muchacha de ojos garzos o cosa así, pero sin nada de particular. *Signior* Romeo, *bonjour!* Ahí va un saludo en francés para los gregüescos a la francesa; por cierto, que te despediste anoche de nosotros también a la francesa.

ROMEO

¡Buenos días, señores! ¿Qué dices de a la francesa?

MERCUCIO

Nada, que te escurriste como las monedas falsas, señor, que te escapaste. ¿No caes?

ROMEO

¡Perdóname, buen Mercucio! Tenía un negocio de importancia, y en semejantes casos bien puede un hombre violar la cortesía.

MERCUCIO

Esto es, que un caso como el tuyo obliga a un hombre a doblarse por las corvas.

ROMEO

Me refiero a la cortesía.

MERCUCIO

¡No te has cortado!

ROMEO
Era corto el floreo.

MERCUCIO
Te advierto que soy la flor de lo cortés.

ROMEO
¡Clavel para una flor!

MERCUCIO
Florido estás.

ROMEO
Es una flor para mis calzas.

MERCUCIO
¡No mates la broma en flor! Síguela hasta que se desfloren tus calzas y tengas que echar caza a tu ingenio.

ROMEO
Yo entonces te ataré con calzadera.

MERCUCIO
¡Ayúdame, Benvolio, o tendré que apelar al calzado!

ROMEO
No, a las calzas de Villadiego.

MERCUCIO
¡La verdad, si te das a la gansada con tus cinco sentidos, prueba que tienes el sentido de ganso!

ROMEO
¡Siento que tengas tan poco sentido!

MERCUCIO
¡Te daré que sentir, porque pico más alto!

ROMEO
Cuando vas de picos pardos.

MERCUCIO
¡Picante estás!

ROMEO
¡No te piques!

MERCUCIO
¡Oh, ése es un ingenio gomoso que alarga la frase desde una pulgada a una vara ancha!

ROMEO
Alargo la frase para hacerte más largo.

MERCUCIO
¡Bien dicho! ¿No vale más esto que gemir de amores? Ahora eres sociable, ahora eres Romeo; ahora eres tú el que eres, así por tu educación como por tus dones naturales; que andabas con ese amor estúpido arriba y abajo, como un idiota que corre de acá para allá para esconder su chisme en un agujero.

BENVOLIO
¡Para ya, para ya!

MERCUCIO
No paro; queda aún la cola de mi cuento.

BENVOLIO
¡No alargues la cola!

MERCUCIO
Yo la hubiera acortado, pues tocaba el fondo mismo
de la cosa y no pensaba estirarla más.

ROMEO
¡Aquí hay tela cortada!

(Entran la NODRIZA *y* PEDRO.)

MERCUCIO
¡Una vela, una vela!

BENVOLIO
¡Dos, dos! ¡Camisa y camisón!

NODRIZA
¡Pedro!

PEDRO
¿Qué?

NODRIZA
Mi abanico, Pedro.

MERCUCIO

Dáselo, Pedro amigo, para que se tape el rostro, que es más bello que su cara.

NODRIZA

Buenos días os dé Dios, caballeros.

MERCUCIO

Buenas tardes os dé Dios, hermosa dama.

NODRIZA

¿Son ya buenas tardes?

MERCUCIO

No son menos, os lo aseguro, porque la libertina manecilla del reloj está ahora tocando las partes al mediodía.

NODRIZA

¡Fuera de mi presencia! ¡Vaya, qué hombre!

ROMEO

Señora mía, un hombre que Dios crió para echarse él mismo a perder.

NODRIZA

¡Bravo, muy bien dicho! «Para echarse él mismo a perder», ¿no?... Caballeros, ¿podría decirme alguno de vosotros dónde puedo hallar al joven Romeo?

ROMEO

Yo puedo decíroslo; pero el joven Romeo será más viejo cuando le halléis que cuando le andabais buscando. Yo soy el más joven de ese nombre, a falta de otro peor.

NODRIZA

¡Bien dicho!

MERCUCIO

¡Sí! ¿Os parece bien o peor? ¡Muy bien discurrido, a fe mía! ¡Admirablemente, admirablemente!

NODRIZA

Si sois vos él, señor, deseo haceros una confidencia.

BENVOLIO

¡A alguna cena que le convida!

MERCUCIO

¡Tercera! ¡Tercera! ¡Tercera!... ¡Ea! ¡Sus!

ROMEO

¿Qué hay?

MERCUCIO

Ninguna liebre, señor, a no ser una de esas que se sirven en empanada de Cuaresma y se pasan y ponen rancias antes de consumirse. *(Canta)*.

Una vieja liebre rancia
y una vieja liebre rancia,
en Cuaresma es buen manjar;
mas la liebre que está rancia
para veinte es demasiado
cuando enrancia al comenzar.

Romeo, ¿iréis a casa de vuestro padre? Allá comeremos.

ROMEO
Luego os acompañaré.

MERCUCIO
¡Adiós, vieja señora!... ¡Adiós! *(Canta.)*

Señora,
señora,
señora.

(Salen MERCUCIO *y* BENVOLIO.*)*

NODRIZA
¡Vaya con Dios! Por favor, señor, ¿qué descocado truhán era ése, que tan pagado estaba de sus bellaquerías?

ROMEO
Un caballero, nodriza, que gusta de escucharse a sí mismo y que hablará más en un minuto que no atenderá en un mes.

NODRIZA

Pues como hable mal de mí, se las haré pagar, aunque fuera más mocetón de lo que es y veinte tunos de su casta; y si yo no puedo, buscaré quienes puedan. ¡Pícaro sinvergüenza! ¡Yo no soy ninguna de sus mancebas ni ninguno de sus compinches! *(Volviéndose a* PEDRO.) ¿Y tú te quedas así, como un papanatas, dejando que cualquier tunante me trate a placer?

PEDRO

No he visto que hombre alguno os haya tratado a su placer, pues, de otro modo en seguida hubiera desenvainado mi arma, os lo aseguro. ¡No hay quien me gane a desenvainar más pronto si veo ocasión para una honrosa contienda y está la ley de mi parte!

NODRIZA

¡Vive Dios, que estoy ahora tan corrida, que me tiemblan las carnes por todo el cuerpo! ¡Pícaro sinvergüenza!... Permitid, señor, una palabra. Pues, como iba diciendo, mi señorita me ha encargado que os buscara, y en cuanto a lo que me mandó deciros, eso me lo reservaré; pero, ante todo, es menester que os diga que si la condujerais al paraíso de los bobos, como suele decirse, sería, como suele decirse, portarse de un modo indigno, porque la damita es joven, y, por tanto, si procedierais con ella con doblez, francamente, sería una cosa fea, que no debe hacerse a una doncellita, y muy reprobable conducta.

ROMEO

Nodriza, encomiéndome a tu señora y dueña. Protesto ante ti...

NODRIZA

¡Qué buen corazón! A fe mía que se lo diré todo. ¡Señor, Señor, qué gozosa se pondrá!

ROMEO

¿Qué le vais a decir, nodriza? No me atiendes.

NODRIZA

Le diré, señor, que protestáis, lo cual, a mi entender, es gentilísima oferta.

ROMEO

Dile que discurra algún pretexto para ir esta tarde a confesarse, y allí, en la celda de fray Lorenzo, él nos confesará y desposará. Toma, por tus molestias.

NODRIZA

¡De ningún modo, señor! ¡Ni un penique!

ROMEO

¡Vamos, digo que lo tomes!

NODRIZA

¿Esta tarde, señor? Bien; allí estará.

ROMEO

Y tú, querida nodriza, quédate tras las tapias de la abadía. De aquí a una hora mi criado se avistará contigo y te traerá unas cuerdas, dispuestas a modo de escala, que me conducirá a la alta cima de mi ventura durante la noche silenciosa. Adiós. Sé fiel, y yo recompensaré tus molestias. ¡Adiós! ¡Encomiéndame a tu señora!

NODRIZA

Pues que Dios en los cielos os bendiga... Escuchad, señor.

ROMEO

¿Qué deseas, mi querida nodriza?

NODRIZA

¿Es callado vuestro criado? ¿No habéis oído decir que secreto entre dos es malo de guardar?

ROMEO

Yo te garantizo que mi criado es fiel como el acero.

NODRIZA

Bien, señor... ¡Mi señorita es la criatura más linda!... ¡Señor, Señor! Cuando era una chicuela... ¡Oh! Hay aquí un noble caballero, un tal Paris, que de buena gana quisiera entrar al abordaje, pero ella, alma bendita, prefiere ver a un sapo, a un verdadero sapo, antes que a él. Algunas veces la hago rabiar, diciéndole que Paris es el hombre adecuado; pues, podéis creerme, cuando se lo digo se pone más amarilla que el pañal más amarillo del universo mundo. ¿No comienzan romero y Romeo con una misma letra?

ROMEO

Sí, nodriza; pero ¿a qué viene eso? Ambos empiezan con *R*.

NODRIZA

¡Ah, qué burlón! Ése es el nombre del perro. La *R* es para él... No; sé yo que empieza con otra letra... Pues de esto, de vos y del romero ha sacado ella unas letrillas tan preciosas, que os diera gusto de oírlas.

ROMEO

¡Encomiéndame a tu señora!

NODRIZA

Sí, mil veces. *(Sale* ROMEO.*)* ¡Pedro!

PEDRO

¡Al punto!

NODRIZA

Pedro, toma mi abanico y marcha delante y aprisa. *(Sale.)*

Escena V

Jardín de Capuleto.
Entra JULIETA.

JULIETA

El reloj daba las nueve cuando mandé a la nodriza. Me prometió estar de vuelta a la media hora. Quizá no haya podido hablar; pero no es eso. ¡Oh! ¡Es que es coja! Los heraldos del amor debieran ser pensamientos, que corren con velocidad diez veces mayor que los rayos solares cuando ahuyentan las sombras que se ciernen sobre las hermosas colinas. Por ello tiran del carro del Amor ligeras palomas, y por ello Cupido tiene raudas alas, como el viento. Ya está el sol sobre la altura suprema de la jornada del día, y tres horas interminables han transcurrido de nueve a doce. Aún no ha venido la nodriza. Si tuviese afecciones y ardiente sangre juvenil, se hubiera puesto rápidamente en movimiento, como una pelota. Mis palabras la hubieran lanzado a mi dulce amor y las de él a mí. Pero la gente vieja dijérase muerta, en su mayoría, torpe, tardía, pálida y pesada como el plomo.

(*Entra la* NODRIZA *con* PEDRO.)

¡Oh Dios, ya viene! ¡Ay nodriza de mi alma! ¿Qué noticias traes? ¿Le viste? Despide a tu escudero.

NODRIZA
Pedro, quédate en la puerta. (*Sale* PEDRO.)

JULIETA
Vamos, buena y dulce nodriza... ¡Oh Dios! ¿Por qué ese aire tan apesadumbrado? Aunque sean tristes las noticias, anúncialas alegremente; si son felices, estás afeando la música de las gratas nuevas, haciéndomela escuchar con tan hosco semblante.

NODRIZA

¡Estoy rendida! Déjame respirar un momento. ¡Ay, qué dolor de huesos! ¡Qué carrera la que he dado!

JULIETA

¡Ojalá tuvieras tú mis huesos y yo tus noticias! ¡Vaya, vamos, habla, te ruego! ¡Querida, querida nodriza, habla!...

NODRIZA

¡Jesús, qué prisa! ¿No podéis aguardar un rato? ¿No veis que estoy sin aliento?

JULIETA

¿Cómo estás sin aliento, si tienes aliento para decirme que te hallas sin él? La excusa que alegas para esa tardanza es más larga que el relato que excusas hacer. ¿Son tus noticias buenas o malas? ¡Responde a esto! Dime si son lo uno o lo otro, y luego aguardaré pacientemente los detalles. ¡Dame esa satisfacción! ¿Son buenas o malas?

NODRIZA

¡Vaya, que habéis hecho una desacertada elección! ¡No sabéis escoger marido! ¡Romeo! ¡Ahí nada! Aunque tenga mejor rostro que los demás, su pierna aventaja a la de todos. Y en cuanto a su mano, su pie y su postura, por más que no valga la pena decirlo, exceden a toda comparación. No es la flor de la cortesía; pero segura estoy de que es tierno como un cordero. ¡Anda, chiquilla, sirve a Dios! Qué, ¿habéis comido ya en casa?

JULIETA

No, no. Pero ¡todo eso lo sabía yo ya! ¿Qué dice de nuestro casamiento? ¿Qué dice?

NODRIZA

¡Señor! ¡Cómo me duele la cabeza! ¡Qué cabeza tengo! ¡Siento unos latidos como si me fuera a estallar en veinte pedazos! Pues ¿y mis espaldas?... ¡Ay, mis espaldas, mis espaldas! ¡Mal haya vuestro corazón, por enviarme de una parte a otra para que reviente jadeando de aquí para allá!

JULIETA

Te juro que lamento no te halles bien. Queridita, queridita, queridita nodriza, ¿qué dice mi amor?

NODRIZA

Vuestro amor dice, como honrado caballero, cortés, amable y gallardo, y os lo aseguro, como virtuoso... ¿Dónde está vuestra madre?

JULIETA

¿Que dónde está mi madre? ¡Pues estará ahí dentro! ¿Dónde habría de estar? ¡Qué extraño modo de responder! «Vuestro amor dice, como honrado caballero, ¿dónde está vuestra madre?».

NODRIZA

¡Oh, por la Virgen Santísima! ¿Tan ardiente estáis? ¡Idos, a fe! ¡Pues digo!... ¿Es ésa la cataplasma para mis doloridos huesos? ¡Desde ahora llevaos los recados vos misma!...

JULIETA

¡Vaya un lío!... ¡Vamos! ¿Qué dice Romeo?

NODRIZA

¿Tenéis ya permiso para confesaros hoy?

JULIETA

Sí.

NODRIZA

Pues, entonces, corred al punto a la celda de fray Lorenzo. Allí os aguarda un marido para haceros su esposa. ¡Ahora se os sube la pícara sangre a las mejillas! ¡Pronto se os pondrán como la escarlata al escuchar ciertas nuevas! ¡Corred a la iglesia! Yo debo seguir otro camino, para ir en busca de una escala, trepando por la cual ha de alcanzar vuestro amante un nido de pájaro cuando oscurezca. Yo estoy dándome malos ratos y sufriendo, para vuestro deleite; pero en seguida seréis vos quien lleve el peso, no bien sea de noche. ¡Vaya, iré a comer! ¡Corred vos a la celda!

JULIETA

¡Corramos a la suprema felicidad! ¡Honrada nodriza, adiós! (Salen.)

Escena VI

Celda de Fray Lorenzo.
Entran FRAY LORENZO *y* ROMEO.

FRAY LORENZO

Sonrían los cielos a esta sagrada ceremonia, para que los tiempos futuros no nos la reprochen con pesar.

ROMEO

¡Amén, amén! Pero vengan como quieran las amarguras, nunca podrán contrarrestar el gozo que siento un solo minuto en presencia de mi amada. ¡Junta nuestras manos con santas palabras, y que luego la muerte, devoradora del amor, haga lo que quiera! ¡Me basta con poder llamarla mía!

FRAY LORENZO

Esos transportes violentos tienen un fin igualmente violento y mueren en pleno triunfo, como el fuego y la pólvora, que, al besarse, se consumen. La miel más dulce empalaga por su mismo excesivo dulzor y, al gustarla, embota el paladar. Ama, pues, con mesura, que así se conduce el verdadero amor. Tan tarde llega el que va demasiado aprisa como el que va demasiado despacio.

(Entra JULIETA.*)*

¡Aquí llega la dama! ¡Oh, jamás rozará un pie tan leve el sílex perdurable! ¡Un enamorado podría cabalgar, sin caerse, en los tenuísimos filamentos que flotan en el cefirillo juguetón del verano! ¡Tan ligera es la ilusión!

JULIETA

¡Buenas tardes a mi reverendo confesor!

FRAY LORENZO

Romeo te dará las gracias por él y por mí, hija mía.

JULIETA

Igual le deseo a él, para que sus gracias no sean excesivas.

ROMEO

¡Ah, Julieta! ¡Si la medida de tu ventura se halla colmada, como la mía, y tienes mayor arte para expresarla, perfuma con tu aliento el aire ambiente y deja que la melodiosa música de tu voz cante la soñada felicidad que cada uno experimentamos con motivo de este grato encuentro!

JULIETA

El sentimiento, más rico en fondo que en palabras, se enorgullece de su esencia, no de su ornato. Los que cuentan sus tesoros son simplemente unos pordioseros; de donde mi verdadero amor se acrecienta hasta un límite que no sumo al contar la mitad de mi riqueza.

FRAY LORENZO

Venid, venid conmigo, y abreviaremos nuestra obra; porque, con vuestro consentimiento, no os permitiré estar solos hasta que la Santa Iglesia os haya incorporado a los dos en uno. *(Salen.)*

Acto III

Escena primera

Una plaza pública.
Entran MERCUCIO, BENVOLIO, *un* PAJE *y* CRIADOS.

BENVOLIO
¡Por favor, buen Mercucio, retirémonos! El día es caluroso, los Capuletos andan de un lado para otro, y si nos los encontramos, no escaparemos a una gresca, que ahora, en estos días de bochorno, hierve la frenética sangre.

MERCUCIO
Tú eres como uno de esos bravos que, cuando traspasan los umbrales de una taberna, me sacuden su espada sobre la mesa, diciendo: «¡Quiera Dios que no te

necesite!», y apenas les ha producido operación al segundo vaso, la esgrimen contra el mozo, cuando realmente no había necesidad de tal cosa.

BENVOLIO
¿Soy yo como esos bravos?

MERCUCIO
¡Anda, anda! Tú eres un Jack[1] de un furor tan impetuoso como el que más en Italia, y tan pronto provocado a cólera como pronto a encolerizarte por sentirte provocado.

BENVOLIO
¿Y qué más?

MERCUCIO
Nada; sino que, de haber dos como tú, en seguida nos quedaríamos sin ninguno, pues se matarían el uno al otro. ¡Tú! ¡Vaya! ¡Tú buscarías contienda con un hombre porque tuviese un pelo más o menos que tú en la barba! Te pelearías con uno que cascara nueces, por la sola razón de que tus ojos son color avellana[2]. ¿Qué ojos sino los tuyos verían en eso motivo alguno de contienda? Tan repleta de riñas está tu cabeza como de sustancia un huevo; y, sin embargo, a fuerza de golpes y porrazos, se te ha quedado tan huera como un huevo

1. *Jack,* diminutivo de *John* (Juan), que se aplica a gente inútil y despreciable. De *Jack* se califica al bravo y pendenciero. *(N. del T.)*
2. Aquí hay un *calembour* entre *nut* (nuez) y el *hazelnut* (avellana). *(N. del T.)*

duro. Una vez te batiste con un hombre que tosía en la calle porque despertó a tu perro, que dormía al sol. ¿No te peleaste con un sastre por llevar su jubón nuevo antes de Pascua, y con otro porque se ataba sus zapatos nuevos con cintas viejas? ¡Y aún quieres enseñarme a huir de pendencias!

BENVOLIO
Si fuera yo tan quimerista como tú, cualquiera podría comprar la propiedad de mi vida simplemente por hora y cuarto.

MERCUCIO
¡Simplemente por hora y cuarto! ¡Oh simplón!

BENVOLIO
¡Por mi cabeza, aquí vienen los Capuletos!

MERCUCIO
¡Por mis talones, que me tienen sin cuidado!

(Entran TEOBALDO *y otros.)*

TEOBALDO
Seguidme de cerca, pues quiero hablar con ellos. ¡Buenas tardes, señores! Una palabra con uno de vosotros.

MERCUCIO
¿Y sólo una palabra con uno de nosotros? ¡Juntadla con algo, para que sean una palabra y un golpe!

TEOBALDO

Bastante dispuesto me hallaréis a ello, señor, si me dais motivo.

MERCUCIO

¿Y no sabríais tomároslo sin que os lo dieran?

TEOBALDO

¡Mercucio, tú estás de concierto con Romeo!...

MERCUCIO

¡De concierto!... ¡Qué!... ¿Nos has tomado por músicos? Pues si nos has tomado por músicos, no esperes oír más que disonancias. ¡Aquí está mi arco de violín! ¡Aquí está lo que os hará danzar! ¡Voto va, de concierto!

BENVOLIO

Estamos hablando en un paraje público de mucha concurrencia. Busquemos un lugar más retirado y razonemos serenamente sobre vuestros agravios, o retirémonos, si no. Aquí todos los ojos nos miran.

MERCUCIO

¡Para mirar se hicieron los ojos! ¡Que nos miren! ¡Yo no me moveré para dar gusto a nadie!

(*Entra* ROMEO.)

TEOBALDO

Bien; en paz con vos, señor. ¡Aquí llega mi mozo!

MERCUCIO

¡Pues que me ahorquen, señor, si lleva vuestra librea! ¡Por mi fe! Salíos al campo, que él os seguirá; vuestra señoría puede llamarle mozo en ese sentido.

TEOBALDO

¡Romeo, el afecto que te guardo no me sugiere otra expresión mejor que ésta: eres un villano!

ROMEO

Teobaldo, las razones que tengo para apreciarte excusan en gran manera el encono de semejante saludo. ¡No soy un villano! ¡Por tanto, adiós! ¡Veo que no me conocen!

TEOBALDO

¡Mozuelo, todo eso no excusa las injurias que me has inferido! ¡Conque vuélvete y desenvaina!

ROMEO

Protesto que nunca te injurié, sino que te aprecio más de lo que puedas imaginarte, hasta que sepas la causa de mi afecto. Así, pues, buen Capuleto (cuyo nombre estimo tanto como el mío), date por satisfecho.

MERCUCIO

¡Oh paciente, deshonrosa y vil sumisión! *¡Alla stoccata* se acaba con eso! *(Desenvaina.)* ¡Teobaldo, cazarratas! ¿Queréis bailar?

TEOBALDO

¿Qué deseas de mí?

MERCUCIO

Buen rey de los gatos, nada, sino una de vuestras nueve vidas, de la que haré lo que me parezca, y luego, según la manera de conduciros, sacudir de lo lindo las ocho restantes. ¿Queréis sacar vuestra espada por las orejas y arrancarla de su vaina? ¡Pronto, no sea que antes de sacar la vuestra zumbe la mía en vuestros oídos!

TEOBALDO

¡A vuestras órdenes! *(Desenvainando.)*

ROMEO

¡Gentil Mercucio, envaina tu espada!

MERCUCIO

¡Veamos, señor, vuestro *passado! (Riñen.)*

ROMEO

¡Desenvaina, Benvolio; abatamos sus espadas! ¡Caballeros, por dignidad, impedid tal oprobio! ¡Teobaldo! ¡Mercucio! ¡El príncipe ha prohibido terminantemente armar pendencia en las calles de Verona! ¡Deteneos! ¡Teobaldo! ¡Buen Mercucio! (TEOBALDO *hiere a* MERCUCIO *por debajo del brazo de* ROMEO *y huye con sus acompañantes.)*

MERCUCIO

¡Estoy herido! ¡Mala peste a vuestras familias!... ¡Estoy ya despachado! Y el otro, ¿ha huido sin recibir una puntada?

BENVOLIO

¡Cómo! ¿Estás herido?

MERCUCIO

Sí, sí; un rasguño, un rasguño... Pero, pardiez, lo bastante. ¿Dónde está mi paje?... ¡Anda, granuja, corre a buscarme un cirujano! *(Sale el* PAJE.)

ROMEO

¡Valor, hombre! ¡La herida no será de importancia!

MERCUCIO

No; no es tan profunda como un pozo ni tan ancha como un portal de iglesia; pero basta; ya producirá su efecto... ¡Preguntad mañana por mí, y me hallaréis todo un hombre estirado! ¡Lo que es para este mundo, creedlo, estoy ya escabechado! ¡Mala peste a vuestras familias!... ¡Voto va!... ¡Un perro, un ratón, una rata, un gato, matar así a un hombre de un arañazo! ¡Un fanfarrón, un pícaro, un canalla, que se batía por las reglas de la aritmética! ¿Por qué diablos os interpusisteis entre nosotros? ¡Me hirió por debajo de vuestro brazo!

ROMEO

¡Lo hice con la mejor intención!

MERCUCIO

¡Benvolio, ayúdame a entrar en alguna casa, o desfalleceré!... ¡Mala peste a vuestras familias!... ¡Han hecho de mí carne de gusanos! ¡Ya la cogí! ¡Buena!... ¡Vuestras familias!... *(Salen* MERCUCIO *y* BENVOLIO.)

ROMEO

¡Este hidalgo, cercano pariente del príncipe, mi más caro amigo, ha recibido su mortal herida por defenderme! ¡Mi honra está manchada por el ultraje de Teobaldo! ¡Por Teobaldo, que no hace una hora es mi primo!... ¡Oh dulce Julieta!... ¡Tus hechizos me han afeminado, ablandando en mi temple el acero de valor!

(Vuelve a entrar BENVOLIO.*)*

BENVOLIO

¡Oh Romeo! ¡Romeo!... ¡Ha muerto el bravo Mercucio! ¡Aquel galante espíritu que tan temprano se burlaba de la tierra, ha ascendido a las nubes!

ROMEO

¡Qué día! ¡Su negra fatalidad está suspendida sobre nuevos días! ¡Éste sólo da principio a la desgracia! ¡Otros han de darle fin!

(Vuelve a entrar TEOBALDO.*)*

BENVOLIO

¡Aquí está otra vez el furioso Teobaldo!

ROMEO

¡Vivo y triunfante! ¡Y Mercucio muerto! ¡Váyase al cielo mi clemente blandura, y sírvame ahora de auxilio la furia de los ojos ardientes! ¡Teobaldo, te devuelvo el villano que antes me dirigiste! El alma de Mercucio se cierne muy próxima sobre nuestras cabezas, esperando que la tuya vaya a hacerle compañía. Forzoso es que tú o yo, o los dos, nos juntemos a él.

TEOBALDO

¡Tú, mozalbete estúpido, que aquí le acompañabas, irás con él!

ROMEO

¡Esto lo decidirá! *(Riñen.* TEOBALDO *cae muerto.)*

BENVOLIO

¡Romeo, vete, huye! Los ciudadanos se dirigen aquí y Teobaldo está muerto. ¡Sal de tu estupor! ¡El príncipe te condenará a muerte si te prenden! ¡Huye, vete de aquí! ¡Vamos!

ROMEO

¡Oh! ¡Soy juguete del Destino!

BENVOLIO

¿Qué haces ahí parado? *(Sale* ROMEO.)

(Entran CIUDADANOS, *etc.)*

CIUDADANO 1.º

¿Por dónde ha huido el matador de Mercucio? Teobaldo, ese asesino, ¿por dónde escapó?

BENVOLIO

¡Ved dónde yace ese Teobaldo!

CIUDADANO 1.º
¡Ea, señor, seguidme! ¡En nombre del príncipe os mando que obedezcáis!

(Entran el PRÍNCIPE, *con su acompañamiento;* MONTESCO, CAPULETO, *sus* ESPOSAS *y otros.)*

PRÍNCIPE
¿Dónde están los viles iniciadores de este lance?

BENVOLIO
¡Oh noble príncipe! Yo puedo daros cuenta de todo el desastroso curso de esta reyerta falta. Ahí yace, muerto por el joven Romeo, el que mató a tu pariente el bravo Mercucio.

LADY CAPULETO
¡Teobaldo, mi sobrino! ¡Oh, el hijo de mi hermano! ¡Oh, príncipe! ¡Sobrino mío, esposo! ¡Oh, se ha vertido la sangre de mi querido pariente! ¡Príncipe, pues eres justo, por nuestra sangre derrámese sangre de Montesco! ¡Oh, sobrino, sobrino!

PRÍNCIPE
Benvolio, ¿quién promovió esta sangrienta refriega?

BENVOLIO
El que yace aquí muerto, Teobaldo, a quien dio muerte la mano de Romeo. Con la debida cortesía le suplicó Romeo que reparase en lo fútil que era la contienda, exponiéndole, a la vez, vuestro alto enojo. Todo lo

cual, dicho con acento afable, serena mirada y humilde actitud, no fue parte a mitigar la cólera irritada de Teobaldo; sino que, sordo éste a la paz, arremete con penetrante acero al pecho de Mercucio, quien, todo enfurecido, opone punta contra punta mortal y con marcial desdén aparte de su pecho con una mano la fría muerte en tanto que con la otra se la devuelve a Teobaldo que la repele con destreza. «¡Conteneos, amigos; amigos, separaos!» Y más ligero que su lengua, su ágil brazo rinde al suelo sus puntas fatales, y entre los dos se interpone. Por debajo de su brazo, Teobaldo asesta una traidora estocada, que hurta la vida del intrépido Mercucio, y entonces Teobaldo huye, pero en seguida torna hacia Romeo, quien empezaba tan sólo a acariciar sentimientos de venganza; y a ella se arrojan, semejantes al relámpago; pues antes que yo tuviera tiempo para desenvainar y despartirlos, sucumbía el animoso Teobaldo; y al caer, Romeo volvió las espaldas y emprendió la fuga. Ésta es la verdad, o muera Benvolio.

LADY CAPULETO

¡Es pariente de Montesco! ¡El cariño le ha inducido a mentir! ¡No dice verdad! ¡Una veintena de ellos han peleado en esta negra refriega, y todos veinte no han conseguido quitar sino una vida!... ¡Demando justicia, que tú, príncipe, debes otorgarme! ¡Romeo mató a Teobaldo! ¡Romeo no debe vivir!

PRÍNCIPE

Romeo le mató; pero él mató a Mercucio. ¿Quién ha de pagar ahora el precio de su estimada sangre?

MONTESCO

No será Romeo, príncipe, que era amigo de Mercucio.
Su delito no ha hecho sino anticiparse a lo que la ley
debía poner fin.

PRÍNCIPE

Pues por esa ofensa inmediatamente le desterramos de
aquí. ¡El proceso que siguen vuestros odios me interesa
también a mí! ¡Mi sangre está corriendo a causa de
vuestras feroces contiendas! Pero ¡os impondré un
castigo tan fuerte, que todos os arrepentiréis de la pérdida
mía![1]. Seré sordo a ruegos y disculpas; ni lágrimas
ni quejas serán bastantes para reparar tales abusos; de
modo que no las pongáis en práctica. ¡Salga de aquí
Romeo a toda prisa, pues, de lo contrario, cuando se le
encuentre, ésa será su última hora! ¡Llevaos de aquí
ese cuerpo, y respetad nuestra voluntad! ¡La clemencia
asesinaría si perdonase a los que matan! *(Salen.)*

Escena II

Jardín de Capuleto.
Entra JULIETA.

JULIETA

¡Galopad aprisa, corceles de flamígeros pies, hacia la
morada de Febo! ¡Un auriga semejante a Faetón os

---

1. *The loss of mine.* Esta pérdida es la muerte de Mercucio, que era pariente
cercano del príncipe. *(N. del T.)*

fustigaría, lanzándoos al ocaso, y al punto traería la tenebrosa noche!... ¡Extiende tu velo tupido, noche protectora del amor!... ¡Apáguense los ojos que curiosean errantes, vuele Romeo a mis brazos, inadvertido y sin que se le vea!... Para celebrar sus ritos amorosos les basta a los amantes la luz de sus propios atractivos. Y como el amor es ciego, aviénese mejor con la noche. ¡Ven, noche complaciente, plácida matrona, toda enlutada, y enséñame a perder un ganancial partido, jugado entre dos limpias virginidades! Reboza con tu manto de tinieblas la indómita sangre que arde en mis mejillas, hasta que el tímido amor, ya más osado, estime como pura ofrenda el verdadero afecto. ¡Ven, noche! ¡Ven, Romeo! ¡Ven tú, día en la noche, pues sobre las alas de la noche parecerás más blanco que la nieve recién posada sobre un cuervo!... ¡Ven noche gentil!... ¡Ven, amorosa noche morena!... ¡Dame mi Romeo!... Y cuando expire, cógelo y divídelo en pequeñas estrellitas. ¡Y hará él tan bella la cara de los cielos, que el mundo entero se prendará de la noche y dejará de dar culto al sol deslumbrador!... ¡Oh! Una mansión de amor tengo comprada, pero aún está sin poseer, y, aunque vendida, todavía no he sido gozada. Tan tedioso es este día como la noche víspera de una fiesta para el impaciente niño que tiene vestidos nuevos y no los puede estrenar. ¡Oh, aquí llega mi nodriza, que me trae nuevas! ¡Toda lengua que pronuncie tan sólo el nombre de Romeo habla con elocuencia celestial!

(*Entra la* NODRIZA *con unas cuerdas.*)

Hola, nodriza, ¿qué noticias hay? ¿Qué traes ahí? ¿Son las cuerdas que te mandó Romeo buscaras?

NODRIZA

¡Sí, sí, las cuerdas! *(Tirándolas al suelo.)*

JULIETA

¡Ay de mí! ¿Qué pasa? ¿Por qué te retuerces las manos?

NODRIZA

¡Oh, qué aciago día! ¡Ha muerto, ha muerto, ha muerto! ¡Estamos perdidas, señora! ¡Estamos perdidas! ¡Ay, qué día! ¡No existe, le han matado, está muerto!

JULIETA

¿Tan crueles pueden ser los cielos?

NODRIZA

Romeo, sí; pero los cielos, no. ¡Oh Romeo, Romeo! ¿Quién lo hubiera imaginado nunca? ¡Romeo!

JULIETA

¿Qué demonios eres tú, que de tal modo me atormentas? ¡Tortura igual sólo debiera expresarse con rugidos de espantoso infierno! ¿Se ha dado muerte Romeo? Di sencillamente *sí,* y esta sola sílaba *sí* tendrá más veneno que el ojo del mortífero basilisco. Yo no soy yo, si existe tal *sí,* o si están cerrados los ojos que te hacen contestar *sí.* ¡Si es muerto, di *sí,* y si no, *no;* esos breves sonidos determinen mi dicha o mi dolor!

NODRIZA

¡He visto la herida! ¡La he visto con mis propios ojos!... ¡Dios nos libre! ¡Aquí, en su pecho varonil! ¡Un lastimoso cadáver, un lastimoso cadáver cubierto de sangre, pálido, pálido como la ceniza! ¡Todo él ensangrentado, todo él cubierto de coágulos! ¡Me desmayé al verlo!

JULIETA

¡Oh! ¡Destrózate, corazón mío! ¡Pobre destrozado, destrózate de una vez! ¡A la prisión, ojos! ¡Nunca penséis en la libertad! ¡Mísera tierra, torna a la tierra! ¡Párese todo movimiento, y a ti y a Romeo os oprima con su pesada carga un mismo ataúd!

NODRIZA

¡Oh! ¡Teobaldo!... ¡Teobaldo!... ¡El mejor amigo que yo tenía! ¡Oh galante Teobaldo! ¡Leal caballero! ¡Que viva yo para verlo muerto!

JULIETA

¿Qué tempestad es ésa, que sopla con tan contrarias direcciones? ¿Romeo ha sido asesinado y Teobaldo muerto? ¿Mi amado primo y mi esposo aún más amado? ¡Entonces, trompeta pavorosa, anuncia con tu sonido a Juicio Final! Pues ¿quién podrá vivir sin estos dos?

NODRIZA

¡Teobaldo ha muerto, y Romeo está desterrado! ¡Romeo, que le dio muerte, está desterrado!

JULIETA

¡Oh Dios!... ¿La mano de Romeo vertió la sangre de Teobaldo?

NODRIZA

¡Así, así es! ¡Ay, qué día! ¡Así es!...

JULIETA

¡Oh corazón de serpiente, oculto bajo un semblante de flores! ¿Habitó jamás un dragón tan seductora caverna? ¡Hermoso tirano! ¡Demonio angelical! ¡Cuervo con plumas de paloma! ¡Cordero con entrañas de lobo! ¡Horrible sustancia de la más celestial apariencia! ¡Exactamente opuesto a lo que exactamente semejas, santo maldito, honorable malhechor! ¡Oh Naturaleza! ¿Qué criatura tenía reservada para el infierno, cuando alojaste el alma de un demonio en el paraíso mortal de cuerpo tan agraciado? ¿Qué libro, con tal primor encuadernado, contuvo nunca tan vil materia? ¡Oh! ¡Que se albergue la falsía en palacio tan suntuoso!

NODRIZA

¡No hay firmeza, no hay fe, no hay honradez en los hombres! ¡Todos son perjuros, todos falsos, todos inicuos, todos hipócritas! ¡Ay! ¿Dónde está mi escudero? Dadme un poco de *aqua vitae*. Estos disgustos, dolores y pesares me harán envejecer. ¡Caiga la vergüenza sobre Romeo!

JULIETA

¡La lengua se te llague por semejante deseo! ¡Romeo no ha nacido para la vergüenza! ¡Sobre su frente, la vergüenza se avergonzaría de posarse! ¡Porque es un trono donde el honor puede ser coronado rey, único de toda la Tierra!... ¡Oh, qué cruel ha sido en reprocharle!

NODRIZA

¿Y defendéis al que mató a vuestro primo?

JULIETA

¿Y he de hablar mal de quien es mi esposo? ¡Ay pobre señor mío! ¿Qué lengua ensalzará tu nombre, cuando yo, tres horas ha tu esposa, lo he injuriado? Pero, infame, ¿por qué diste muerte a mi primo? Este infame primo seguramente hubiera matado a mi esposo. ¡Atrás, lágrimas necias! Tornad a vuestra fuente primitiva. Esas perlas, tributo que pertenece al dolor, vosotras las consagráis equivocadamente al regocijo. Mi esposo vive, contra cuya vida quiso atentar Teobaldo, y ha muerto Teobaldo, que pretendía dar muerte a mi esposo. Todo esto es consuelo. ¿Por qué llorar entonces? Cierta palabra oí, peor que la muerte de Teobaldo, que me asesinó. Con gusto quisiera olvidarla; pero, ¡ay, ella oprime mi memoria como los horrendos crímenes la conciencia de los delincuentes! «Teobaldo ha muerto, y Romeo está... desterrado.» Este «desterrado», esta sola palabra «desterrado», ha matado diez mil Teobaldos. La muerte de Teobaldo era suficiente desgracia, de haberse detenido aquí; o si la despiadada desventura goza en ir acompañada, y le es forzoso unirse a otros infortunios, ¿por qué no dijo «Teobaldo ha muerto», o «tu padre», «o tu madre», o hasta «los dos», lo cual me hubiera causado una angustia ordinaria? Pero anunciar, tras la muerte de Teobaldo, «Romeo está desterrado», decirme esa palabra, es lo mismo que decir: «¡Mi padre, mi madre, Teobaldo, Romeo, Julieta, todos asesinados, todos muertos!...». «¡Romeo está... desterrado!» ¡No hay fin, no hay límite, medida ni término en la muerte que llevan en sí estas palabras! ¡No hay acentos que expresan la intensidad de este dolor!... ¿Dónde están mi padre y mi madre, nodriza?

NODRIZA

Llorando y gimiendo junto al cadáver de Teobaldo. ¿Queréis ir con ellos? Os acompañaré hasta allí.

JULIETA

Laven uno y otro con lágrimas las heridas de él; que, cuando se hallen secas, el destierro de Romeo hará verter las mías... ¡Recoge esas cuerdas!... ¡Pobre escala! Tú y yo hemos sido burladas, pues Romeo está desterrado. Él te fabricó para que sirvieras de camino a mi lecho; más yo, virgen, muero en viudez virginal. Venid, cuerdas; ven, nodriza; iré a mi tálamo nupcial, y que la muerte, y no Romeo, desflore mi doncellez.

NODRIZA

Corred a vuestra estancia. Yo buscaré a Romeo para que os consuele. ¡Bien sé dónde está! ¡Escuchad! ¡Romeo vendrá aquí esta noche! ¡Voy a verlo! Se halla oculto en la celda de fray Lorenzo.

JULIETA

¡Oh, encuéntrale! Entrega esta sortija a mi fiel caballero, y ruégale que venga a darme su último adiós. *(Salen.)*

Escena III

Celda de Fray Lorenzo.
Entra FRAY LORENZO.

FRAY LORENZO

Romeo, ven acá; ven acá, hombre pavoroso. La desgracia se ha enamorado de tus prendas y te hallas desposado con la desdicha.

ROMEO

¿Qué noticias hay, padre? ¿Qué ha resuelto el príncipe? ¿Qué nuevo dolor, todavía desconocido, anhela
conocerme?

FRAY LORENZO

¡Bastante familiarizado está mi querido hijo con tan
hosca compañía! ¡Te traigo noticias del fallo del príncipe!

ROMEO

¿Qué menos puede ser que sentencia de muerte?

FRAY LORENZO

De su boca salió un fallo más benigno; no la muerte
del cuerpo, sino su destierro.

ROMEO

¡Ah! ¡Destierro! ¡Ten compasión! ¡Di que me ha condenado a muerte, porque, en realidad, el destierro es más aterrador, mucho más, que la muerte! ¡No digas «destierro»!

FRAY LORENZO

Estás desterrado de Verona. Ten paciencia, que el mundo es vasto y espacioso.

ROMEO

¡Fuera de los muros de Verona no existe mundo, sino purgatorio; tormentos y el infierno mismo! ¡Estar desterrado de aquí es estar desterrado del mundo, y el destierro del mundo es la muerte! ¡Luego el destierro es la muerte bajo un falso nombre! Llamando «destierro» a la muerte, cortas mi cuello con un hacha de oro, y sonríes al dar el golpe que me asesina.

FRAY LORENZO

¡Oh pecado mortal! ¡Oh negra ingratitud! Según nuestras leyes, deberías morir; pero el bondadoso príncipe, interesándose por ti y torciendo la ley, cambia en destierro esa negra palabra «muerte», y tú no agradeces el inmenso favor.

ROMEO

¡Es suplicio y no favor! El cielo está aquí, donde vive Julieta; y todo gato, perro y ratoncillo, cualquier cosa, por indigna que sea, vive aquí en el cielo y puede contemplarla; ¡pero Romeo, no! ¡Más felices que Romeo, más honrosa situación, mayor cortesanía, alcanzan las moscas, que viven en la podredumbre! ¡Ellas pueden posarse en el blanco prodigio de la mano de mi amada Julieta y robar la dicha inmortal de sus labios, constantemente ruborosos por el puro y virginal pudor, como si tuvieran por pecado sus recíprocos besos! ¡Pero Romeo no puede llegar a tanto! ¡Está proscrito! Las moscas pueden hacerlo; pero a él se le prohíbe, ¡porque ellas son libres, mas yo desterrado!... ¿Y aún dices que el destierro no es la muerte? ¿No tenías un activo veneno, un agudo cuchillo, un medio rápido de muerte, cualquiera que fuese, sino matarme con «desterrado»? ¡Desterrado!... ¡Oh monje! ¡Esa palabra la profieren los condenados en el infierno, acompañándola con alaridos! ¿Cómo tienes corazón, siendo un sacerdote, un santo confesor, revestido del don de perdonar los pecados, y mi amigo íntimo, para anonadarme con esa palabra; «desterrado»?

FRAY LORENZO
¡Eres un loco! Oye siquiera una palabra.

ROMEO
¡Oh! Vas a hablarme otra vez del destierro...

FRAY LORENZO
Voy a darte el antídoto de esa palabra: la filosofía, dulce bálsamo de la adversidad. Ella te consolará, aunque te halles proscrito.

ROMEO

¿Todavía «proscrito»? ¡Mal haya tu filosofía! A no ser que la filosofía sea capaz de crear una Julieta, transportar de sitio una ciudad o revocar la sentencia de un príncipe, para nada sirve, nada vale. ¡No me hables más de eso!

FRAY LORENZO

¡Oh! ¡Ya veo que los locos no tienen oídos!

ROMEO

¿Cómo han de tenerlos, cuando los cuerdos carecen de ojos?

FRAY LORENZO

Déjame aconsejarte sobre tu estado.

ROMEO

¡Tú no puedes hablar de lo que no sientes! Si fueras joven, como yo, y el objeto de tu amor Julieta; si desde hace una hora estuvieses casado y hubieras dado muerte a Teobaldo; si, como yo, amaras con delirio, y si, como yo, te vieras extrañado, ¡entonces podrías hablar, entonces podrías mesarte los cabellos, y entonces arrojarte al suelo, como hago yo ahora, tomando por anticipado la medida de mi tumba! *(Llaman dentro.)*

FRAY LORENZO

¡Levántate! ¡Llaman! ¡Escóndete, buen Romeo!

ROMEO

¡No, a no ser que el aliento de mis dolorosos suspiros me envuelva a modo de niebla, sustrayéndome a escrutadoras miradas! *(Llaman.)*

FRAY LORENZO

¿No oyes cómo están llamando? ¿Quién es? ¡Levántate, Romeo, que van a prenderte!... ¡Esperad un momento!... ¡Alza del suelo!... *(Llaman.)* ¡Corre a mi estudio!... ¡En seguida!... ¡Poder de Dios! ¡Qué locura es ésta!... ¡Voy, voy!... *(Llaman.)* ¿Quién llama tan fuerte? ¿De dónde venís? ¿Qué deseáis?

NODRIZA

(Dentro.) Permitidme que pase y sabréis mi recado. Vengo de parte de la señora Julieta.

FRAY LORENZO

¡Bien venida, pues!

(Entra la NODRIZA.*)*

NODRIZA

¡Oh santo fraile! Decidme, santo fraile: ¿dónde está el esposo de mi señora? ¿Dónde está Romeo?

FRAY LORENZO

Allí, en el suelo, embriagado con sus mismas lágrimas.

NODRIZA

¡Oh! ¡Igual que mi señorita, exactamente en igual caso que ella!

FRAY LORENZO

¡Oh! ¡Dolorosa semejanza! ¡Lastimosa conformidad de situación!

NODRIZA

Así yace ella: llorando y gimiendo, gimiendo y llorando. (*A* ROMEO.) ¡Levantaos, levantaos; alzad, si sois hombre! ¡Por amor de Julieta, por su amor, levantaos y poneos en pie! ¿Por qué caer en un ¡oh! tan profundo?

ROMEO

¡Nodriza!...

NODRIZA

¡Ah señor! ¡Ah señor! ¿Qué hemos de hacerle? La muerte es el fin de todo.

ROMEO

¿Hablas de Julieta? ¿Cómo está? ¿No cree que soy un consumado asesino, que acaba de manchar con sangre de su familia la infancia de nuestra ventura? ¿Dónde está? ¿Cómo se halla? ¿Y qué dice mi truncada esposa de nuestro truncado amor?

NODRIZA

¡Oh! Nada dice, señor, sino llorar y más llorar. Y ahora se arroja en su lecho, luego se levanta sobresaltada y nombra a Teobaldo, y después llama a Romeo y al fin vuelve a caer.

ROMEO

¡Dijérase que ese nombre, disparado por arma mortal, la ha matado, como la mano maldita que lleva tal nombre mató a su primo! ¡Oh! ¡Dime, monje, dime! ¿En qué vil parte de esta anatomía se encuentra mi nombre? ¡Dímelo, que devaste la odiosa mansión! *(Desenvainando la espada.)*

FRAY LORENZO

¡Detén tu airada mano! ¿Eres hombre? Tu figura pregona que lo eres, pero tus lágrimas son de mujer y tus actos frenéticos denotan la furia irreflexiva de una fiera. Deformada mujer en forma de hombre o mal formada fiera en forma de hombre y de mujer. ¡Pasmado me dejas! Por mi santa Orden, te creí en disposición más templada. Después de matar a Teobaldo, ¿quieres ahora matarte a ti mismo y juntamente a tu esposa, que vive en ti, creándote a ti propio un odio execrable? ¿Por qué ultrajas tu nacimiento, el cielo y la tierra, toda vez que nacimiento, cielo y tierra en ti se aúnan, y los quieres perder a la vez? ¡Cuidado, cuidado! Estás envileciendo tu figura, tu amor y tu razón, y, semejante al usurero, en todo abundas, menos en utilizar en recto uso lo que verdaderamente daría realce a tu figura, a tu amor y a tu razón. Tu noble figura no es sino una imagen de cera desprovista de pujanza varonil. Tus votos de tierno amor, sólo falsas palabras que matan aquel amor que juraste guardar en tu pecho. Tu razón, esa gala de tu figura y de tu amor, desviada del gobierno de una y otro, como la pólvora en el frasco del inexperto soldado, se inflama por tu misma ignorancia y te mutila con tu propio medio de defensa, ¡Vaya, anímate, hombre! Tu Julieta, por cuyo ardiente amor morías hace poco, vive; en esto eres afortunado. Teobaldo quería matarte, pero tú le mataste; en esto eres también afortunado. La ley, que amenazaba muerte, se hace amiga tuya, conmutando la pena en destierro; en esto eres igualmente afortunado. Sobre tus hombros pesa suavemente una carga de bendiciones. La Fortuna te corteja, luciendo sus mejores atavíos. Y tú, sin embargo, como muchacha arisca y desenvuelta, regañas con tu fortuna y con tu amor. ¡Cuidado, cuidado! ¡El suicidio es una muerte miserable!... Anda, ve a casa de tu amada, según estaba convenido; sube a su aposento y consuélala. Pero mira no detenerte hasta estar montada la guardia, pues de lo contrario no podrías trasladarte a Mantua, donde permanecerás hasta que hallemos ocasión favorable de hacer público vuestro matrimonio, reconciliar a vuestras familias, obtener el perdón del príncipe y llamarte para que te restituyas aquí, con mil y mil veces más alborozo que gemidos exhalas a tu partida. Adelántate, nodriza; ofrece mis respetos a tu señora y dile que dé prisa a toda la casa para que se retiren al lecho, a lo que se mostrarán propicios a causa de su intenso dolor. Romeo irá inmediatamente.

NODRIZA

¡Oh, señor! De buena gana me hubiera pasado aquí toda la noche oyendo tan buenos consejos. ¡Oh! ¡Lo que es el saber! Señor, diré a mi señora que vendréis.

ROMEO

Sí, y no te olvides de decirle que se prepare a reñirme.

NODRIZA

He aquí, señor, una sortija que me entregó para vos, señor. No perdáis tiempo, daos prisa, que es tarde. *(Sale.)*

ROMEO

¡Cómo conforta esto mi espíritu!

FRAY LORENZO

¡Márchate ya, y buenas noches! De esto depende toda tu vida: o te pones en camino antes que se monte la guardia, o sales disfrazado al despuntar el día. Reside en Mantua. Yo sabré hallar a tu criado, y él te llevará con frecuencia noticias de todo lo que aquí suceda y te interese. Dame tu mano; se hace tarde. ¡Adiós! ¡Buenas noches!

ROMEO

¡Si una dicha superior a toda dicha no me llamara a otro sitio, sería un gran dolor separarme tan pronto de tu lado! ¡Adiós! *(Salen.)*

Escena IV

Una sala en casa de Capuleto.
Entran CAPULETO, LADY CAPULETO *y* PARIS.

CAPULETO

Han ocurrido cosas tan lamentables, señor, que no hemos tenido tiempo de convencer a nuestra hija. Consi-
derad que profesaba gran afecto a su primo Teobaldo,
y yo lo mismo. Bien; todos hemos nacido para morir.
Es muy tarde. Ella no bajará esta noche. Os aseguro
que, a no ser por vuestra compañía, hace una hora que
estaría yo en la cama.

PARIS

Estos instantes de dolor no dan lugar a galanteos. Buenas noches, señora. Encomendadme a vuestra hija.

LADY CAPULETO

Lo haré, y mañana temprano sabré su modo de pensar.
Esta noche está aprisionada a su pesadumbre.

CAPULETO

Conde de Paris, me atrevo a responderos del amor de
mi hija. Creo que en todo se dejará gobernar por mí.
Más diré: no lo dudo. Esposa, id a verla antes de reco-
geros. Dadle cuenta del amor de mi hijo Paris, y ha-
cedle saber, notadlo bien que el próximo miércoles...
Pero ¡calla! ¿Qué día es hoy?

PARIS

Lunes, señor.

CAPULETO

¡Lunes! ¡Ya, ya! Bien. El miércoles es demasiado pronto; sea el jueves. Decidle que el jueves se desposará con este noble conde. ¿Estaréis vos dispuesto? ¿Os agrada esta premura? No habrá gran pompa. Un amigo o dos; pues, comprendedlo, estando tan reciente la muerte de Teobaldo, pudieran pensar que le honrábamos poco, siendo nuestro pariente, si nos regocijábamos mucho. De modo que invitaremos a media docena de amigos, y asunto terminado. Ahora, ¿qué decís vos al jueves?

PARIS

¡Señor, que quisiera que fuera jueves mañana!

CAPULETO

Bien; podéis retiraros. Sea entonces el jueves. Id a ver a Julieta antes de acostaros, esposa, y preparadla para el día del casamiento. ¡Adiós, señor! ¡Luces a mi cuarto, eh! Por vida mía, es ya tan tarde, tan tarde, que muy pronto podremos decir que es temprano. ¡Buenas noches! *(Salen.)*

Escena V

Jardín de Capuleto.
Entra ROMEO, *y* JULIETA *arriba, en la ventana.*

JULIETA

¿Quieres marcharte ya?... Aún no ha despuntado el día... Era el ruiseñor, y no la alondra, lo que hirió el fondo temeroso de tu oído... Todas las noches trina en aquel granero. ¡Créeme, amor mío, era el ruiseñor!

ROMEO

¡Era la alondra la mensajera de la mañana, no el ruiseñor!... Mira... amor mío, qué envidiosas franjas de luz ribetean las rasgadas nubes allá en el Oriente... Las candelas de la noche se han extinguido ya, y el día bullicioso asoma de puntillas en la brumosa cima de las montañas... ¡Es preciso que parta y viva, o que me quede y muera!

JULIETA

Aquella claridad lejana no es la luz del día, lo sé, lo sé yo... Es algún meteoro que exhala el Sol para que te sirva de portaantorcha y te alumbre esta noche en tu camino a Mantua... ¡Quédate, por tanto, aún!... No tienes necesidad de marcharte.

ROMEO

¡Que me prendan!... ¡Que me hagan morir!... ¡Si tú lo quieres, estoy decidido! Diré que aquel resplandor grisáceo no es el semblante de la aurora, sino el pálido reflejo del rostro de Cintia, y que no son tampoco de la alondra esas notas vibrantes que rasgan la bóveda celeste tan alto por encima de nuestras cabezas. ¡Mi deseo de quedarme vence a mi voluntad de partir!... ¡Ven, muerte, y sé bien venida! Julieta lo quiere. Pero ¿qué te pasa, alma mía? ¡Charlemos; aún no es de día!

JULIETA

¡Sí es, sí es; huye de aquí, vete, márchate! ¡Es la alondra, que canta de un modo desentonado, lanzando ásperas disonancias y desagradables chirridos! ¡Y dicen que la alondra produce al cantar una dulce armonía! ¡Cómo, si ella nos separa! ¡Y dicen que la alondra y el sapo inmundo cambian los ojos!... ¡Ay! ¡Ojalá hubieran ellos trocado ahora también la voz! ¡Porque esa voz nos llena de temor y te arranca de mis brazos, ahuyentándote de aquí con su canto de alborada! ¡Oh, parte ahora mismo! ¡Cada vez clarea más!

ROMEO

¡Cada vez clarea más! ¡Cada vez se ennegrecen más nuestros infortunios!

(Entra la NODRIZA *al aposento.)*

NODRIZA

¡Señora!

JULIETA

¡Nodriza!

NODRIZA

Vuestra señora madre se dirige a vuestro aposento. Ha despuntado el día. ¡Cuidado y alerta! *(Sale.)*

JULIETA

Entonces, balcón, ¡haz entrar la luz del día y deja salir mi vida!

ROMEO

¡Adiós!... ¡Adiós! Un beso, y voy a descender... *(Desciende.)*

JULIETA

¿Y me dejas así, mi dueño, mi amor, mi amigo? ¡Necesito saber de ti cada día y cada hora!... ¡Porque en un minuto hay muchos días! ¡Oh! ¡Según esta cuenta, habré yo envejecido antes que vuelva a ver a mi Romeo!

ROMEO

¡Adiós!... ¡No perderé ocasión alguna para enviarte mis recuerdos, amor mío!

JULIETA

¡Oh! ¿Piensas que nos volveremos a ver algún día?

ROMEO

¡Sin duda! Y todos estos dolores serán temas de dulces pláticas en días futuros.

JULIETA

¡Oh Dios! ¡Qué negros presentimientos abriga mi alma!... ¡Se me figura verte ahora, que estás abajo, semejante a un cadáver en el fondo de una tumba! ¡O mi vista me engaña, o tú estás muy pálido!

ROMEO

Pues, créeme, amor mío: a mis ojos también tú lo estás. ¡Sufrimientos horribles beben nuestra sangre!... ¡Adiós! ¡Adiós!... *(Sale.)*

JULIETA

¡Ay!... ¡Fortuna! ¡Fortuna! Todos te llaman veleidosa. Si lo eres, ¿qué tienes que ver con quien goza de renombre por su fidelidad? ¡Sé tornadiza, Fortuna, porque entonces, según espero, no lo retendrás, largo tiempo, sino que lo restituirás pronto a mis brazos!

LADY CAPULETO

(Dentro.) ¡Hola, hija mía! ¿Estás ya levantada?

JULIETA

¿Quién me llama? ¡Es mi señora madre! ¡Está de vela tan tarde, o es que madruga tan temprano! ¿Qué inusitada causa la trae aquí?

(Entra LADY CAPULETO.*)*

LADY CAPULETO

¡Cómo! ¿Qué es eso, Julieta?

JULIETA

No me hallo bien, señora.

LADY CAPULETO

¿Siempre llorando por la muerte de tu primo? Qué, ¿pretendes quizá sacarlo de la tumba por medio de lágrimas? Aunque lo consiguieras, no podrías darle vida. Por tanto, cesa de llorar. Un sentimiento moderado revela amor profundo, en tanto que si es excesivo indica falta de sensatez.

JULIETA

No obstante, permitidme que llore tan sensible pérdida.

LADY CAPULETO

De ese modo sentirás la pérdida, pero no al amigo por quien lloras.

JULIETA

Sintiendo así su pérdida, no puedo menos de llorar siempre al amigo.

LADY CAPULETO

Ya comprendo, hija mía; lloras no sólo por su muerte, sino porque vive todavía el infame que lo asesinó.

JULIETA

¿Qué infame, señora?

LADY CAPULETO

Ese infame de Romeo.

JULIETA

¡Entre un infame y él hay muchas millas de distancia!... ¡Dios le perdone, como yo le perdono de todo corazón! ¡Y eso que ningún hombre me aflige tanto como él!

LADY CAPULETO

Eso es porque vive el traidor asesino.

JULIETA

Sí, señora. ¡Porque vive lejos del alcance de estas manos! ¡Quisiera que no vengara nadie sino yo la muerte de mi primo!

LADY CAPULETO

¡Tomaremos venganza de ella! ¡No temas! ¡Acaben tus lloros, por tanto! Voy a enviar a una persona a Mantua, donde vive ese desterrado vagabundo, a quien dará tan extraña bebida, que pronto hará compañía a Teobaldo, y entonces juzgo que quedarás contenta.

JULIETA

Verdaderamente, nunca quedaré satisfecha de Romeo hasta que no le vea... ¡muerto! Está mi pobre corazón tan torturado por el fallecimiento de un pariente... Señora, si vos no halláis un hombre para llevar el tósigo, yo mismo lo prepararé; de manera que, no bien lo haya tomado, duerma en paz Romeo. ¡Oh, cuánto sufre mi corazón al oírlo nombrar y no poder dirigirme a donde está, para hacer sentir el amor que profesaba a Teobaldo en el cuerpo de aquel que le arrebató la vida!

LADY CAPULETO

Busca los medios, y yo buscaré a semejante hombre. Pero ahora vengo a comunicarte noticias alegres, muchacha.

JULIETA

¡Y que viene bien la alegría en ocasión que tan necesitada está de ella! ¿Qué es ello? Decidlo, os ruego.

LADY CAPULETO

Vaya, vaya, tienes un padre que se interesa mucho por ti, muchacha, y que por sacarte de tu desolación ha ideado un imprevisto día de felicidad que ni tú aguardabas ni yo me prometía.

JULIETA

Señora, me alegro mucho. ¿De qué se trata?

LADY CAPULETO

Pues a fe, hija mía, que el próximo jueves, de madrugada, el galante joven y noble caballero el conde de París tendrá la ventura de hacer de ti una feliz esposa en la iglesia de San Pedro.

JULIETA

¡Pues por la iglesia de San Pedro, y aun por San Pedro mismo, él no hará de mí una feliz esposa! Me extraña su prisa y que me haya de casar con quien ni siquiera me ha hecho la corte. Señora, os suplico digáis a mi padre y señor que no quiero desposarme todavía, y que, de hacerlo, os juro que será con Romeo, a quien supondréis que odio, antes que con París... ¡y eran ésas las noticias!...

LADY CAPULETO

¡Aquí está vuestro padre! ¡Decídselo vos misma, y veréis ahora cómo va a tomarlo!

(*Entran* CAPULETO *y la* NODRIZA.)

CAPULETO

Cuando se pone el sol, el aire destella rocío; pero por el ocaso del hijo de mi hermano llueve a mares. ¿Qué es eso? ¿Un caño, muchacha? Qué, ¿siempre de lágrimas y llorando a torrentes? En tu cuerpo diminuto semejas una barca, el océano y el huracán; porque tus ojos, que bien puedo denominar océano, a todas horas tienen flujo y reflujo de lágrimas. La barca es tu cuerpo que navega en ese salado piélago; los vientos, tus suspiros, que en lucha furiosa con tu llanto, y éste con ellos, de no sobrevenir una repentina calma, harán zozobrar tu cuerpo, combatido por la tempestad. Qué, esposa, ¿le habéis comunicado nuestra determinación?

LADY CAPULETO

Sí, señor; pero no quiere; os da las gracias. ¡Ojalá se desposara con la tumba esa necia!

CAPULETO

¿Cómo? A ver, a ver, esposa. ¡Qué! ¿No quiere? ¿No nos lo agradece? ¿No se siente orgullosa? ¿No tiene a dicha, por muy indigna que sea de ello, el que le hayamos proprocionado para novio un caballero tan notable?

JULIETA

Orgullosa, no; al contrario, estoy muy agradecida. Nunca puedo estar orgullosa de lo que aborrezco; pero sí agradecida, hasta por lo que odio, cuando se lleva a cabo con amorosa intención.

CAPULETO

¡Cómo, cómo! ¡Cómo, cómo! ¡Hilvanadora de retóricas! ¿Qué significa eso de «estoy orgullosa y os lo agradezco», y «no os lo agradezco» y, sin embargo, «no estoy orgullosa»? Lo que vais a hacer, señorita deslenguada, es dejaros de ese galimatías de agradecimientos y orgullos y preparar vuestras finas piernas para el próximo jueves, a fin de acompañar a Paris a la iglesia de San Pedro, o, de lo contrario, te llevaré hasta allí a la rastra en un zarzo. ¡Fuera de mi presencia, encarroñada clorótica! ¡Fuera, libertina! ¡Cara de sebo!

LADY CAPULETO

¡Callad, callad! Qué, ¿os habéis vuelto loco?

JULIETA

¡Buen padre, os lo pido de rodillas! Escuchadme con paciencia una palabra nada más.

CAPULETO

¡Ahórcate, joven libertina, criatura desobediente! Oye lo que te digo: ¡o vas a la iglesia el jueves, o jamás me mires a la cara! ¡No hables! ¡No repliques!... ¡No me contestes!... ¡Que tiembla mi mano!... ¡Esposa!... Apenas nos creímos felices por no habernos Dios concedido más que esta hija; pero ahora veo que con esta hija única hay de sobra, y que con ella nos ha caído una maldición. ¡Apártate de mi vista, mujerzuela!

NODRIZA

¡Dios la bendiga en el cielo! La reñís demasiado severamente, señor.

CAPULETO

¿Y por qué, señora entremetida? ¡Silencio, consejera oficiosa! ¡A cotorrear con vuestras comadres, an-
dando!

NODRIZA

No decía nada malo.

CAPULETO

¡Oh, buenas tardes os dé Dios!

NODRIZA

¡No puede una ni hablar!

CAPULETO

¡Silencio, estúpida gruñona! ¡Esa elocuencia la gastáis
con vuestras iguales, que aquí no hace falta!

LADY CAPULETO

¡Os acaloráis demasiado!

CAPULETO

¡Por la Hostia Sagrada! ¡Si es para volverse loco! De
día, de noche, a todas horas, en cualquier ocasión, a
cada momento, trabajando, en diversión, solo, en compañía, fue siempre mi sueño verla desposada, y ahora
que le habíamos conseguido un caballero de familia de
príncipes, lleno de riquezas, joven, educado con el mayor esmero, henchido, como dicen, de bellas cualidades; un hombre, en fin, como pudiera uno desearlo,
venirnos esta miserable y estúpida llorona, esta muñe-

ca quejicosa, que, al sonreírle la fortuna, exclame por toda respuesta: «No quiero casarme, no puedo amar, soy muy joven; os ruego que me perdonéis». ¿Sí? ¡Pues no os caséis! ¡Bueno será mi perdón! ¡Idos a vivir donde os plazca, que en mi casa no pondréis más los pies! ¡Miradlo bien, pensadlo bien, yo no acostumbro chancearme! El jueves se acerca: poned la mano en vuestro corazón y reflexionad. Si queréis ser mi hija obediente, os daré a mi amigo; si no lo queréis ser, ahorcaos, mendigad, consumíos de hambre y miseria, morid en medio de la calle. Pues, por mi alma, que nunca os reconoceré. ¡Tenedlo por seguro! ¡Meditadlo bien! ¡Yo no quebrantaré mi palabra! *(Sale.)*

JULIETA

¿No hay clemencia en los cielos que llegue hasta el fondo de mi dolor?... ¡Oh dulce madre mía! ¡No me rechacéis! Suspended esta boda un mes, una semana; o si no, preparad mi lecho de bodas en la tumba sombría donde yace Teobaldo.

LADY CAPULETO

Nada me digas, pues no hablaré una palabra. Obra como quieras, porque todo ha terminado entre las dos. *(Sale.)*

JULIETA

¡Oh Dios!... ¡Oh nodriza! ¿Cómo se remediaría esto? Mi esposo está en la tierra; en el cielo, mi fe. ¿Cómo tornará otra vez esta fe a la tierra, a no ser que mi esposo, dejando este mundo, me la envíe desde el cielo?

Consuélame, aconséjame. ¡Ay! ¡Ay! ¡Que haya de emplear el cielo astucias contra una criatura tan débil como yo! ¿Qué dices tú? ¿No tienes ni una palabra de alegría? ¡Dame algún consuelo, nodriza!

NODRIZA

¡Helo aquí a fe mía! Romeo está desterrado, y apostaría el mundo entero contra nada a que no se atreve a volver aquí para reclamaros, y de venir, será a escondidas. Estando, pues, las cosas como están, creo que lo más conveniente es que os caséis con el conde. ¡Oh! ¡Es un arrogante caballero! ¡Romeo, para él, es una insignificancia! ¡El águila, señorita, no tiene unos ojos tan verdes, tan vivos, tan bellos como los de Paris! Padezca mi propio corazón, si no sois feliz con este segundo matrimonio, puesto que aventaja al primero; y aunque no lo fuera, de todos modos, vuestro primer marido ha muerto, o tanto da si lo tenéis vivo aquí y no podéis serviros de él.

JULIETA

¿Y eso lo dices de corazón?

NODRIZA

¡Y con toda mi alma! ¡Malditos, si no, el uno y la otra!

JULIETA

¡Amén!

NODRIZA

¿Qué?

JULIETA

Nada, que me has consolado admirablemente. Ve y dile a mi madre que, afligida por haber contrariado a mi padre, voy a ir a la celda de fray Lorenzo a confesarme y recibir su absolución.

NODRIZA

¡A fe que eso es ponerse en razón! *(Sale.)*

JULIETA

¡Vieja condenada! ¡Oh aborrecido demonio! ¿Es mayor pecado incitarme así al perjurio, o vituperar a mi señor con esa misma lengua que tantos millares de veces le ha ensalzado sobre toda alabanza? ¡Márchate, consejera! ¡Tú y mi corazón estaréis desde hoy divididos!... Iré a ver al monje, a saber qué remedio me da. ¡Si todos fracasaran, yo misma tengo arrestos para morir! *(Sale.)*

Acto IV

Escena primera

Celda de Fray Lorenzo.
Entran FRAY LORENZO *y* PARIS.

FRAY LORENZO
¿El jueves, señor? Me parece muy pronto.

PARIS
Tal es la voluntad de mi padre Capuleto, y no seré yo
tan tardo y perezoso que modere su prisa.

FRAY LORENZO
Decís que aún ignoráis las intenciones de vuestra pro-
metida. Procedéis de un modo irregular, que no me
agrada.

PARIS

Julieta llora sin cesar desde la muerte de Teobaldo, y ésta es la causa de que le hablara poco de amor, pues Venus no sonríe en una mansión de lágrimas. Ahora, señor, su padre juzga peligroso el que se abandone a tanto llanto. Y para detener el curso de este dolor, ha creído prudente acelerar nuestro matrimonio. Ese pesar, que absorbe demasiado su ánimo en la soledad, quizá se aparte de ella mediante la compañía. Ya sabéis la razón de esta prontitud.

FRAY LORENZO *(Aparte.)*

Así no supiera por qué debe ello retardarse. Mirad, señor; que aquí viene la dama hacia mi celda.

(Entra JULIETA.*)*

PARIS

Grato encuentro, señora y esposa mía.

JULIETA

Eso podrá ser, caballero, cuando sea yo esposa.

PARIS

Ese «podrá ser» ha de ser, amor mío, el jueves próximo.

JULIETA

Lo que ha de ser, será.

FRAY LORENZO

Verdad indiscutible.

PARIS
¿Vais a confesaros con este buen padre?

JULIETA
Contestar a eso sería confesarme con vos.

PARIS
No le neguéis que me amáis.

JULIETA
Confesaré que amo.

PARIS
Así, pues, le confesaréis que me amáis; estoy seguro.

JULIETA
Si eso hicera, mi confesión sería de más valor hecha en vuestra ausencia que en vuestra cara.

PARIS
¡Pobrecilla! Tu cara está siendo víctima de tus lágrimas.

JULIETA
Insignificante victoria han logrado con ello las lágrimas, pues se hallaba bastante marchita antes de sentir sus huellas.

PARIS
Más injuria le haces con tus palabras que con tu llanto.

JULIETA

Lo que es verdad no es calumnia, caballero. Y lo que digo, lo digo a mi cara.

PARIS

Mía es tu cara, y la has calumniado.

JULIETA

Podría ser, pues no me pertenece... ¿Tenéis que hacer ahora, buen padre, o volveré a la hora de vísperas?

FRAY LORENZO

Tengo ahora tiempo disponible, hija mía... Os rogamos, caballero, que nos dejéis solos unos instantes.

PARIS

¡Dios me libre de turbar la devoción!... Julieta, el jueves, de madrugada, iré a despertaros. ¡Adiós hasta entonces, y recibid este santo beso! *(Sale.)*

JULIETA

¡Oh, cierra la puerta y disponte luego a llorar conmigo! ¡No hay remedio, esperanza ni socorro para mí!

FRAY LORENZO

¡Ah Julieta! ¡Comprendo tu dolor, que me saca de tino! He sabido que el próximo jueves, y sin que nada pueda retardarlo, debes enlazarte con ese conde.

JULIETA

¡No me lo digas, padre, si no me dices cómo puedo evitarlo! ¡Si no hallas un remedio en tu sabiduría, aprueba, al menos, mi determinación! ¡Y con esta daga acabaré inmediatamente con mi alma! Dios unió mi corazón al de Romeo, tú enlazaste nuestras manos; y antes que mi diestra, que tú sellaste para Romeo, sea el sello de otro contrato; antes que mi corazón sea desleal, este acero dará fin de una y otro. De modo que procúrame al momento un consejo nacido de tu larga experiencia o, de lo contrario, entre mí y el rigor de mis penas decidirá la cuestión esta daga, sedienta de sangre, resolviendo lo que la autoridad de tus años y tu saber no pueden llevar a honroso término. ¡No seas tan tardo en hablar! ¡Tárdame el morir, si lo que vas a expresar no habla de remedio!

FRAY LORENZO

Detente, hija mía; vislumbro cierta esperanza; pero su solución es tan desesperada como desesperado es el mal que intentamos prevenir. Si tienes la suficiente fuerza de voluntad para quitarte la vida antes que casarte con Paris, quizá te arriesgaras a un simulacro de muerte para evitar tal deshonra, tú, que, para huir de ella, te lanzas a la muerte misma. Si a ello te atreves, yo te daré el remedio.

JULIETA

¡Oh! ¡Antes que casarme con Paris, mándame que me arroje desde lo alto de las almenas de un torreón, que marche por caminos infestados de ladrones, que me abrace a las ponzoñosas serpientes, que me encadene con los rugientes osos! ¡Enciérrame de noche en un osario, todo cubierto de crujientes huesos de difuntos,

de ennegrecidas tibias y de amarillentas calaveras des-
carnadas! ¡Entiérrame en una fosa recién cavada, o
haz que me amortaje con un cadáver, cosas todas ellas
que al oírlas me aterrorizaban, y lo haré sin temor ni
vacilación alguna, a cambio de vivir sin mancha como
esposa de mi dulce amor!

FRAY LORENZO

¡Atiende, entonces! Marcha a tu casa; muéstrate ale-
gre y consiente en casarte con Paris. Mañana, que es
miércoles, te quedas por la noche sola en tu cuarto,
procurando alejar a la nodriza. Cuando estés en el lecho, toma este pomito y bebe hasta la última gota de
este destilado licor. Inmediatamente correrá por tus venas un humor frío y letárgico, que amortiguará tus
alientos vitales. Cesará de latir tu pulso y quedará sin
fuerza y sin calor. Tu vida parecerá acabada, y las rosas
de tus labios y mejillas se marchitarán hasta quedar pá-
lidas como la ceniza. Se cerrarán las ventanas de tus
ojos, como cuando los cierra la muerte a la luz de la
vida. Tus miembros, privados de toda flexibilidad, se
mostrarán yertos y rígidos como los de un cadáver.
Todo patentizará que has muerto. Y en tal apariencia
permanecerás cuarenta y dos horas, despertando después como de un plácido sueño. En la mañana del día
señalado para tu boda, al ir a levantarte, te hallarán
muerta en tu lecho. Entonces, como es costumbre en
nuestro país, ataviada con tus mejores galas y descu-
bierta en el féretro, te conducirán a la antigua cripta
donde reposa toda la familia de los Capuletos. Entre
tanto, y antes que tú despiertes, Romeo se informará

por cartas mías de nuestro plan y vendrá. Él y yo velaremos juntos tu despertar hasta que vuelvas a la vida, y aquella misma noche Romeo te llevará a Mantua. Esto te librará de ese inminente deshonor, si algún capricho efímero no abate tu valor en el momento más crítico.

JULIETA
¡Venga, venga! ¡Oh, no me hables de temor!

FRAY LORENZO
¡Toma, márchate y sé dichosa en tu resolución! Yo despacharé en seguida un monje a Mantua con cartas mías para tu señor.

JULIETA
¡Amor, préstame fortaleza, y la fortaleza me dará remedio! ¡Adiós, querido padre! *(Sale.)*

Escena II

Sala en casa de Capuleto.
Entran CAPULETO, LADY CAPULETO, *la* NODRIZA *y dos* CRIADOS.

CAPULETO
Invitad a todos los convidados aquí inscritos. *(Sale el* CRIADO 1.°.*)* Pícaro, ve a ajustarme veinte expertos cocineros.

CRIADO 2.º
No habrá ninguno malo, señor; pues yo averiguaré si se chupan los dedos.

CAPULETO
¿Cómo puedes averiguarlo?

CRIADO 2.º
A fe mía, señor, mal cocinero es aquel que no se chupa los dedos; de modo que el que no se chupe los dedos, no lo traigo.

CAPULETO
Vete, márchate. (*Sale el* CRIADO 2.º.) Esta vez nos va a pillar la fiesta muy desprevenidos. Qué, ¿fue mi hija a ver a fray Lorenzo?

NODRIZA
Sí, por cierto.

CAPULETO
¡Bien! Quizá él pueda hacer carrera de ella. ¡Qué díscola y voluntariosa es la rapaza!

NODRIZA
Miradla ahí, que llega de confesar con cara risueña.

(*Entra* JULIETA.)

CAPULETO
¡Vamos a ver, testarudilla! ¿Adónde fuiste a corretear?

JULIETA

Adonde me enseñaron a arrepentirme del pecado de
desobediente oposición a vuestros mandatos; y acudo
aconsejada por fray Lorenzo, a postrarme a vuestros
pies y pediros perdón. ¡Perdonadme, os suplico! De
aquí en adelante me dejaré guiar por vos.

CAPULETO

¡Id en busca del conde, informadle de esto! ¡Mañana
por la mañana tendré anunciado este lazo!

JULIETA

Hallé al joven conde en la celda de fray Lorenzo y le
ofrecí el afecto que buenamente podría ofrecerle sin
rebasar los límites de la honestidad.

CAPULETO

¡Muy bien; me satisface! ¡Esto marcha admirablemente! ¡Levántate! ¡La cosa va en toda regla! ¡Quiero ver
al conde! ¡Sí, a fe mía; id, digo, y traedlo acá! ¡Ahora,
juro a Dios que toda nuestra ciudad queda muy obli-
gada a este reverendo y santo monje!

JULIETA

Nodriza, ¿quieres acompañarme a mi gabinete para
ayudarme a elegir aquellos indispensables atavíos que
creas convenientes para engalanarme mañana?

LADY CAPULETO

No, no es hasta el jueves; hay tiempo bastante.

CAPULETO

Andad, nodriza; andad con ella; iremos a la iglesia mañana. *(Salen* JULIETA *y la* NODRIZA.*)*

LADY CAPULETO

Nos vamos a ver apurados para acabar nuestros preparativos. Está anocheciendo.

CAPULETO

¡Bah! Trabajaré sin descanso y todo marchará bien; te lo garantizo, esposa. Anda al aposento de Julieta, ayúdala a engalanarse. Yo no me acostaré esta noche; dejadme solo. Haré por esta vez de amo de casa. ¡Qué! ¿Eh?... ¡Se han marchado todos! No importa; yo mismo iré a ver al conde de Paris y a prevenirle para el día de mañana. Mi corazón se ha alegrado prodigiosamente desde que esa muchacha díscola se ha puesto en razón. *(Sale.)*

Escena III

Aposento de Julieta.
Entran JULIETA *y la* NODRIZA.

JULIETA

Sí, estos atavíos son los mejores; pero, querida nodriza, te suplico me dejes sola esta noche, pues necesito orar mucho para mover a los cielos a favorecerme en mi situación, que, como sabes muy bien, es azarosa y llena de pecado.

(Entra LADY CAPULETO.)

LADY CAPULETO

¡Qué! ¿Estáis muy atareada? ¿Queréis que os ayude?

JULIETA

No, señora. Tenemos ya dispuesto cuanto se necesita para la ceremonia de mañana. Así es que dejadme sola y que pase con vosotros la noche la nodriza, pues tengo la seguridad de que vuestras manos estarán completamente ocupadas en una tarea tan apremiante.

LADY CAPULETO

Entonces, buenas noches; acuéstate y descansa, que bien lo necesitas. *(Salen* LADY CAPULETO *y la* NODRIZA.)

JULIETA

¡Adiós! ¡Sabe Dios cuándo nos volveremos a ver! Siento un vago y frío temor, que me causa estremecimiento al correr por mis venas y casi hiela el calor de la vida. Voy a llamarlos para que me infundan valor... ¡Nodriza!... Pero ¿para qué la quiero aquí?... ¡Ésta es una terrible escena que debo representar yo sola! ¡Ven, frasco!... ¿Y si este brebaje no produjera efecto alguno? ¿Me casarían, entonces, mañana por la mañana?... ¡No! ¡No! ¡Esto lo impedirá! *(Sacando un puñal de su seno.)* ¡Quédate aquí! *(Esconde un puñal en el lecho.)* ¿Y si esto fuera un veneno con que el monje quiera darme astutamente la muerte por temor a la deshonra que le causaría este matrimonio después de haberme

enlazado con Romeo? Recelo que sí... Pero no; imagi-
no que no es posible, pues siempre ha dado pruebas
de ser un santo varón... ¡No debo abrigar tan ruin pensamiento!... ¿Y sí, depositada ya en la tumba, despierto antes que llegue Romeo a libertarme? ¡Terrible
caso! ¿No me asfixiaré entonces en aquel antro inmundo, por cuya espantable boca el aire puro no pe-
netra jamás, y moriré ahogada antes de ver a mi Romeo?... Y si vivo, ¿qué será de mí? Las sombras, la
noche, la idea de la muerte me aterrorizan bajo aquellas bóvedas de un panteón en donde desde hace siglos
se hacinan los huesos de mis antepasados; donde Teobaldo, manando sangre todavía, yace pudriéndose en
su mortaja; donde, según cuentan, a ciertas horas de la
noche concurren los espíritus... ¡Ay! ¡Ay! ¿Cómo es
posible que al despertarme de improviso no enloquez-
ca ante tan espeluznantes horrores y emanaciones tan
pestilentes y entre unos chillidos semejantes a los de la
mandrágora al ser arrancada de la tierra, que hacen
perder el juicio a las mortales que los escuchan?[1].

1. Sobre las supersticiones de la mandrágora hay toda una historia. Para
sólo citar textos ingleses, según Tomás Newton, en su *Herbaria sobre la
Biblia,* edición de 1578, a la mandrágora se la representa bajo forma humana, conformada, en las entrañas de la tierra, de la simiente de un asesino,
ejecutado por sus crímenes. Sir Tomás Brocone, en su *Vulgar and Common
Errors,* se refiere a la creencia de que la mandrágora produce un ruido re-
chinante *(stridolous noise)* o da un chillido *(a shriek)* al ser arrancada de la
tierra, chillido fatal para quienes lo escuchan, pues enloquecen y no viven
después mucho tiempo, y enumera las precauciones que tomaban los antiguos para coger dicha planta y deshacer su encanto o influencia pernicio-
sa: ponerse cara al viento, describir con la espada tres círculos en torno y,
al extraerla, mirar a Occidente.
   En otra obra, *Bulwalke of Defence against Sickness,* de Bulleine, publi-
cada en 1575, se informa de varios métodos para evitar los peligros de la

¡Oh!... Si entonces despierto, ¿no se trastornará mi razón al verme rodeada de todos esos tremendos horrores? ¿Y no sería posible que, en mi delirio, jugara con los restos de mis antepasados y arrancara de su féretro al desfigurado Teobaldo, y, poseída de semejante locura, llegase a coger un hueso de alguno de mis abuelos y a modo de maza hundiera con él mi pobre cráneo?... ¡Oh! ¡Ved! ¿Qué es lo que miro?... ¡Me parece que lo veo!... ¡Es el espectro de mi primo que persigue a Romeo, cuya espada ensangrentada le atravesó el corazón!... ¡Detente, Teobaldo, detente!... ¡Romeo, Romeo!... ¡Voy a reunirme contigo! ¡He aquí el licor! ¡Lo bebo a tu salud!... *(Cae sobre su lecho, detrás de las cortinas.)*

Escena IV

Salón en casa de Capuleto.
Entran LADY CAPULETO *y la* NODRIZA.

LADY CAPULETO
Oye: toma estas llaves y tráeme más especias, nodriza.

---

solanácea. El autor asegura que sin la muerte de un ser vivo no se puede arrancar de la tierra. Así, debe emplearse un perro u otro animal fuerte, que tiren de una cuerda a que previamente se atará la planta. Comenzada la faena de extracción, ante los gritos terribles de la mandrágora, hay que taparse los oídos, si no se quiere morir. Arrancada, el animal que tiró de ella muere, pero no el hombre, que puede usar de las propiedades curativas de su raíz, de un vago parecido con el cuerpo humano... Hay otras muchas supersticiones sobre la mandrágora. Véase James G. Frazer: *Proceedings of the British Academy,* 1917-1918. *(N. del T.)*

NODRIZA

En la pastelería piden dátiles y membrillos.

(Entra CAPULETO.)

CAPULETO

¡Vamos, avivad, avivad, avivad! El gallo ha cantado ya
por segunda vez y ha sonado la campana de la queda.
Son las tres. ¡Cuida de los pasteles, buena Angélica, y
no repares en gastos!

NODRIZA

¡Idos, idos, señor cocinero! Si pasáis la noche en vela,
de seguro que os sentiréis mal mañana.

CAPULETO

¡No, no, ni pizca! ¡Qué! Otras veces, sin causa alguna,
he pasado en vela toda la noche, y nunca me sentí enfermo.

LADY CAPULETO

¡Sí; no erais mal cazador de aves nocturnas en vuestro
tiempo! Pero ya os vigilaré yo para que no hagáis ahora semejantes velas. *(Salen* LADY CAPULETO *y la* NO-
DRIZA.)

CAPULETO

¡Celos, celos! ¡Eh! ¿Qué traes ahí, muchacho?

(Entran tres o cuatro CRIADOS, *con asa-
dores, leños y canastos.)*

CRIADO 1.º

¡Cosas para la cocina, señor; pero no sé qué cosas son!
(Sale el CRIADO 1.º.)

CAPULETO

¡Pues vivo, vivo; no te detengas!... ¡A ver, tú, picarón;
anda a buscar troncos más secos! ¡Llama a Pedro, y él
te dirá dónde los hay!

CRIADO 2.º

Tengo yo una cabeza, señor, que sabré encontrar los
troncos sin necesidad de molestar a Pedro. *(Sale.)*

CAPULETO

¡Por la misa, y que está bien dicho! ¡Un hideputa gra-
cioso, eh! ¡Te crecerán troncos en la cabeza! ¡A fe mía,
que apunta ya el alba y no tardará en llegar el conde
con la música, según me prometió! *(Música dentro.)*
¡Oigo que se acerca! ¡Nodriza! ¡Esposa! ¿No oís?
¡Eh! ¡Qué! ¡Nodriza, digo!

(Vuelve a entrar la NODRIZA.)

¡Id a despertar a Julieta! ¡Id y engalanadla bien! Yo
iré, entre tanto, a charlar con Paris. ¡Despachad, daos
prisa, daos prisa, que ya está aquí el novio! ¡Daos prisa, digo! *(Salen.)*

Escena V

Alcoba de Julieta. JULIETA, *en su lecho.*
Entra la NODRIZA.

NODRIZA
¡Señorita!... ¡Vamos, señorita!... ¡Julieta!... ¡Duerme
como un tronco, no hay duda!... ¡Eh, corderita!... ¡Eh,
señora!... ¡Vamos, perezosilla!... ¡Ea, prenda!... ¡Vaya,
digo!... ¡Señora! ¡Corazón mío!... ¡Vamos, señora novia!... ¿Ni por ésas?... ¿Ni una palabra?... Ahora está
aprovechando un poco el sueño. ¡Dormid, dormid
una semana seguida, que a la noche que viene no os
dejará descansar mucho el conde de Paris!... Os lo aseguro. ¡Dios me perdone! ¡Ay, sí; amén!... Pero ¡qué
sueño más pesado!... ¡Nada, tendré que despertarla
yo! ¡Señorita!... ¡Señorita!... ¡Señorita! Sí; dejad que
el conde os coja en la cama. ¡Menudo susto os va a
dar! ¡A fe! ¿No es cierto? *(Descorriendo las cortinas.)*
¡Cómo! ¡Engalanada y con el vestido puesto! ¡Vaya,
vaya, os despertaré! *(Sacudiendo a* JULIETA *y después*
tomándola en brazos.) ¡Señorita!... ¡Señorita!... ¡Señorita!... ¡Ay!... ¡Ay!... ¡Socorro! ¡Socorro! ¡La señorita
está muerta! ¡Oh funesto día!... ¡Que haya yo nacido!
¡Ay! ¡Dadme un poco de *aqua vitae!* ¡Eh! ¡Señor! ¡Señora!

(Entra LADY CAPULETO.)

LADY CAPULETO
¿Qué ruido es ése?

NODRIZA
¡Oh día lamentable!

LADY CAPULETO
Pero ¿qué pasa?

NODRIZA
¡Mirad, mirad! ¡Oh día aciago!

LADY CAPULETO
¡Ay de mí! ¡Ay de mí! ¡Niña mía! ¡Mi única vida! ¡Revive, abre los ojos, o moriré contigo! ¡Socorro! ¡Socorro! ¡Pedid auxilio!

(Entra CAPULETO.)

CAPULETO
¡Qué vergüenza! ¡Que salga Julieta! ¡Ha llegado su esposo!

NODRIZA
¡Ha muerto! ¡Está difunta! ¡Ha muerto! ¡Ay, qué día!

LADY CAPULETO
¡Ay, qué día! ¡Ha muerto! ¡Ha muerto! ¡Ha muerto!

CAPULETO
¡Ah, dejadme verla! ¡Ay! ¡Desdichado de mí! ¡Está fría! ¡No circula la sangre! ¡Sus miembros están rígidos! ¡La vida huyó hace tiempo de sus labios!... ¡La muerte ha caído sobre ella como intempestiva escarcha sobre la flor más galana de toda la pradera!

NODRIZA
¡Oh día lamentable!

LADY CAPULETO
¡Oh aciaga hora!

CAPULETO
¡La muerte, que me robó mi hija para hacerme gemir, ata mi lengua y no me deja hablar!

(*Entran* FRAY LORENZO *y* PARIS, *con* MÚSICOS.)

FRAY LORENZO
Vamos, ¿está ya dispuesta la novia para ir a la iglesia?

CAPULETO
¡Dispuesta para ir, pero jamás para volver! ¡Oh hijo! ¡En la víspera de tus bodas, el fantasma de la muerte ha dormido con tu esposa! ¡Mírala, ahí tendida, flor como era, por él desflorada! ¡Ese horrible fantasma es mi yerno, es mi heredero; con él se ha desposado mi hija! ¡Quiero morir y dejárselo todo; vida, hacienda, todo es de la muerte!

PARIS
¡Tan largo tiempo he esperado ver la cara de este día, para semejante espectáculo!...

LADY CAPULETO
¡Día maldito, cruel, luctuoso, execrable! ¡Hora la más fatal que viera el tiempo en el constante y sufrido tra-

bajo de su peregrinación! ¡No tenía yo más que una niña, una niña tan sólo, tan sólo una amada niña, una criatura que era mi alegría y mi consuelo, y la muerte despiadada se la ha llevado de mi vista!

NODRIZA

¡Oh dolor! ¡Oh día doloroso, doloroso, doloroso! ¡El día más lamentable, el más doloroso que nunca, nunca, presencié! ¡Oh día! ¡Oh día! ¡Oh día! ¡Oh odiado día! Jamás se vio un día tan negro como éste. ¡Oh día de dolor! ¡Oh día de dolor!

PARIS

¡Destrozado, burlado, divorciado, abandonado, asesinado! ¡Oh muerte, mil veces detestable! ¡Burlado por ti! ¡Cruel! ¡Cruel! ¡Por ti aniquilado!... ¡Oh amor!... ¡Oh vida!... ¡No ya vida, sino amor en la muerte!...

CAPULETO

¡Mofado, angustiado, aborrecido, martirizado, muerto! ¡Tremendo instante! ¿Por qué viniste ahora a asesinar, a destrozar nuestra solemne fiesta? ¡Ah hija mía! ¡Oh hija mía! ¡Alma mía, y no hija mía! ¡Está muerta! ¡Ay! ¡Mi hija ha muerto, y con mi hija han fenecido todas mis alegrías!

FRAY LORENZO

¡Silencio, vaya! ¡Qué vergüenza! El remedio de este dolor no está en esos dolores. El Cielo tenía tanta parte como nosotros en esta hermosa doncella. La parte que os correspondía no pudisteis preservarla de la muerte, en tanto que el Cielo guarda la suya para la vida eterna. Vuestra ansia vea su encumbramiento, pues hubiera constituido vuestra gloria el verla enaltecida. ¿Y ahora lloráis, viéndola exaltada sobre las nubes y encumbrada hasta el mismo Cielo? ¡Oh! En esto amáis tan mal a vuestra hija, que os enloquece el verla dichosa. La mejor esposa no es aquella que vive largo tiempo desposada, sino la desposada que muere siendo joven esposa. Secad vuestras lágrimas y depositad vuestro romero sobre su bello cadáver; y, como es costumbre, conducidlo después a la iglesia, adornado con las mejores galas; que si la apasionada Naturaleza nos fuerza a lamentarnos, las lágrimas de la Naturaleza son escarnio de la razón.

CAPULETO

¡Todo aquello que dispusimos para la fiesta, desviándose de su oficio, sirva para el negro funeral! ¡Nuestros instrumentos, para melancólicas campanas; nuestro festín de bodas, para luctuoso banquete funerario; nuestros epitalamios, para lúgubres endechas; nuestras flores nupciales, para guirnaldas sobre la tumba, y todas las cosas se cambian en sus contrarias!

FRAY LORENZO

Señor, retiraos, y vos, señora, marchad con él; e igualmente vos, sir Paris. Cada cual dispóngase a acompañar a su sepulcro a este bello cuerpo. Los cielos se os muestran ceñudos por alguna ofensa; no los irritéis más, contrariando sus altos designios. (*Salen* CAPULETO, LADY CAPULETO, PARIS *y* FRAY LORENZO, *luego de echar romero sobre* JULIETA, *y cerrar las cortinas.*)

Músico 1.º

A fe que podemos recoger nuestros instrumentos y largarnos con la música a otra parte.

Nodriza

¡Ah, sí, sí! Recogedlos, buena gente; pues ya lo veis, éste es un caso triste. *(Salen.)*

Músico 1.º

Por mi vida, que el caso no admite arreglo.

(Entra Pedro.*)*

Pedro

¡Músicos! ¡Oh músicos! «La paz del corazón», «La paz del corazón». ¡Si no queréis que muera, tocad «La paz del corazón»!

Músico 1.º

¿Por qué «La paz del corazón»?

Pedro

¡Oh músicos! Porque mi corazón toca por su parte: «Mi corazón está lleno de dolor». ¡Oh! ¡Tocadme una endecha festiva para consolarme!

Músico 1.º

¡Nada de endechas! ¡No es ahora ocasión de tocar!

Pedro

¿Que no queréis?

MÚSICO 1.º
¡No!

PEDRO
Pues, entonces, os la solfearé yo, y que será bien so-
nada.

MÚSICO 1.º
¿Qué nos vais a hacer sonar?

PEDRO
¡No será dinero, por mi fe, sino las costillas! ¡Yo os
marcaré la trova!

MÚSICO 1.º
Entonces nos daréis la entrada.

PEDRO
¡Con mi daga, que servirá de batuta! ¡A mí corcheas!...
¡Veréis modo de quedaros *re-la-mi-dos* y resobados.
¿Os dais cuenta?

MÚSICO 1.º
Si nos lleváis el compás con la daga, seréis vos quien
dará cuenta de nosotros.

MÚSICO 2.º
Por favor, envainad vuestra daga y desenvainad vuestra agudeza.

PEDRO
Entonces ¡tened cuidado con mi agudeza! Pues os zurcirá mi ingenio, que es más agudo que mi daga. Contestadme como hombres:

Cuando el corazón manda dolores al Destino
y pesares sin fin da a nuestro pensamiento,
pues entonces la música, con su son argentino...

¿Por qué «son argentino»? ¿Por qué «la música, con su son argentino»? ¿Qué decís vos, Simón Bordón?

MÚSICO 1.º
Pues claro está, señor; porque la plata tiene un dulce sonido.

PEDRO
¡Muy bonito! ¿Qué decis vos, Hugo Rabel?

MÚSICO 2.º
Dice «son argentino» porque los músicos tocan por la plata.

PEDRO
¡Muy bonito también! ¿Y vos qué decís, Santiago Cla-vija?

MÚSICO 3.º
¡Por vida de..., no sé qué decir!

PEDRO

¡Oh, perdonadme; sois el cantor! Yo lo diré por vos. Dice: «música, con su son argentino», porque los músicos no hacen sonar oro:

Pues entonces la música, con su son argentino,
pone eficaz ayuda calmando el sufrimiento.

(Sale.)

MÚSICO 1.º

¡Vaya un truhán más sinvergüenza!

MÚSICO 2.º

¡Mal rayo te parta, Jack! Venid, entraremos por aquí, aguardaremos el fúnebre cortejo y nos quedamos a comer. *(Salen.)*

Acto V

Escena primera

Mantua. Una calle.
Entra ROMEO.

ROMEO

De creer en la aduladora visión del sueño, mis sueños presagian próximas y alegres noticias. El señor de mi pecho se halla plácidamente sentado en su trono, y durante todo el día una desusada animación me eleva por encima de la tierra con pensamientos acariciadores. Recuerdo que soñé que me había muerto (¡extraño sueño que concede a un muerto la facultad de pensar!) y que venía mi esposa e infundía con sus besos en mis labios una vida tan potente y deliciosa, que yo resucitaba y era emperador. ¡Ay de mí!... ¡Qué dulce no será la posesión de ser amado, cuando la sola sombra del amor es tan rica en los deleites!...

(Entra BALTASAR *con botas de montar.)*

¡Noticias de Verona! ¿Qué hay, Baltasar? ¿Traes alguna carta del fraile? ¿Está buena mi señora? ¿Sigue bien mi padre? ¿Cómo lo pasa mi Julieta? Te lo pregunto de nuevo, pues nada puede ir mal si ella está bien.

BALTASAR

Ella no puede estar mejor; luego nada puede ir mal... ¡Su cuerpo descansa en el panteón de los Capuletos, y su parte inmortal mora con los ángeles! Yo mismo la he visto enterrar en la cripta de sus antepasados, y al punto tomé la posta para decíroslo. ¡Oh, perdonadme si os traigo noticias tan dolorosas, pues tal misión me confiasteis, señor!

ROMEO

¿Es posible?... Entonces, estrellas, ¡no creo en vuestro poder! ¡Ya sabes mi alojamiento! ¡Procúrame papel y tinta, y alquila caballos de posta! ¡Parto esta misma noche!

BALTASAR

¡Por Dios, señor, calmaos! Vuestro semblante, desencajado y pálido, anuncia alguna desgracia.

ROMEO

¡Bah! ¡Te engañas! Déjame y haz lo que te mando... ¿No traes para mí cartas del fraile?

BALTASAR

Ninguna, mi querido señor.

ROMEO

¡No importa! Vete y alquila esos caballos, que en seguida te sigo. (*Sale* BALTASAR.) ¡Bien, Julieta, esta noche descansaré contigo!... Tracemos los medios... ¡Oh mal, qué pronto te adentras en el corazón de los hombres desesperados! Recuerdo un boticario, y muy cerca de este sitio vive, a quien vi hace poco cubierto de harapos, de tétrica mirada, cogiendo hierbas medicinales. Tenía el rostro demacrado, una miseria espantosa le había consumido hasta los huesos, y del techo de su sórdida tienda colgaban una tortuga, un caimán disecado y otras pieles de peces deformes. Sobre sus estantes distinguíase un pobre surtido de cajas viejas, tarros de tierra verdosa, vejigas y mohosas simientes, retazos de bramante y viejos panes de rosas, todo ello en orden desigual, para que hiciera más ostentación. Notando esta penuria, dije para mí: «Si en este instante precisara un hombre un veneno, cuya venta se castiga en Mantua con la muerte inmediata, he aquí un infeliz miserable que se lo expendería». ¡Oh! ¡Aquella misma reflexión no hacía sino adelantarse a mi necesidad, y este mismo hombre necesitado es quien me lo ha de vender! Si no recuerdo mal, ésta debe de ser la casa. Como es día festivo, el pordiosero ha cerrado la tienda... ¡Hola! ¡Eh! ¡Boticario!

(*Entra el* BOTICARIO.)

BOTICARIO
¿Quién llama tan fuerte?

ROMEO
¡Ven acá, hombre! ¡Veo que eres muy pobre! ¡Toma:
ahí van cuarenta ducados; despáchame una dosis de
veneno, una sustancia tan fuerte, que al difundirse
por todas las venas caiga muerto aquel que, hastiado
de la vida, la beba, y haga salir su alma del cuerpo con
la misma violencia que la impetuosa pólvora encendida estalla en las entrañas fatales del cañón!

BOTICARIO
Tengo esos mortales venenos; pero las leyes de Mantua
castigan con la muerte a quien los expenda.

ROMEO
¿Estás tan lleno de harapos y de miseria y todavía te-
mes morir? ¡Llevas el hambre retratada en tus mejillas! ¡La indigencia y la opresión se asoman hambrien-
tas a tus ojos! ¡La pobreza y el desprecio pesan sobre
tus espaldas! ¡El mundo no es amigo tuyo, ni las leyes
del mundo! ¡El mundo no estatuye ninguna ley para
que te enriquezcas! ¡Luego no seas pobre, sino, por el
contrario, quebrántala, y toma esto!

BOTICARIO
Mi pobreza consiente, pero no mi voluntad.

ROMEO
No es tu voluntad la que pago, sino tu pobreza.

BOTICARIO

Disolved esto en un líquido cualquiera y bebedlo hasta la última gota, que así tengáis la fuerza de veinte hombres, caeréis muerto al instante.

ROMEO

¡He aquí tu oro, veneno más funesto para el alma de los hombres y causante de más muertes en este mundo abominable que esas pobres mixturas que no te dejan despachar! ¡Yo soy quien te vende a ti el tósigo; no tú el que me lo vendes a mí! ¡Adiós! Compra alimentos y repón tus carnes... Ven, cordial, y no veneno; ven conmigo a la tumba de Julieta, que allí debo usarte! (Salen.)

Escena II

Celda de Fray Lorenzo.
Entra FRAY JUAN.

FRAY JUAN

¡Santo fraile franciscano! ¡Hermano, eh!

(*Entra* FRAY LORENZO.)

FRAY LORENZO

Esa voz debe de ser la del fraile Juan. ¡Bien venido de Mantua! ¿Qué dice Romeo? O si viene por escrito su pensamiento, dame la carta.

FRAY JUAN

Yendo en busca de un hermano descalzo de nuestra
Orden, que se hallaba en esta ciudad visitando los en-
fermos, para que me acompañara, y al dar con él los
celadores de la población, por sospechas de que ambos habíamos estado en una casa donde reinaba la peste, sellaron las puertas y no nos dejaron salir. De suerte
que aquí tuve que suspender mi diligencia para ir a
Mantua.

FRAY LORENZO

¿Quién llevó, entonces, mi carta a Romeo?

FRAY JUAN

No la pude mandar, aquí está de nuevo, ni pude hallar
mensajero alguno para traerla: tal temor tenían todos a
contagiarse.

FRAY LORENZO

¡Suerte fatal! Por mi santa orden, que no era insignificante la misiva, sino que encerraba un mensaje de gran
importancia, y cuyo descuido puede acarrear graves
consecuencias. Fray Juan, ve a buscarme una palanca
de hierro y tráemela a mi celda sin tardanza.

FRAY JUAN

Voy por ella, hermano. (*Sale* FRAY JUAN.)

FRAY LORENZO

Fuerza es que yo solo vaya ahora al panteón. La hermosa Julieta despertará dentro de tres horas. ¡Cómo

va a maldecirme por no haber tenido noticias Romeo de estos sucesos! Pero escribiré otra vez a Mantua y ocultaré a ella en mi celda hasta que llegue Romeo. ¡Pobre cadáver viviente, encerrado en la tumba de un muerto!

Escena III

Un cementerio, en el que se levanta el mausoleo de los Capuletos.
Entran PARIS *y su* PAJE, *llevando flores y una antorcha.*

PARIS

Dame esa antorcha, muchacho... Retírate y permanece a distancia. Pero no; apaga la luz, no quiero que me vean. Tiéndete al pie de aquellos tejos y aplica el oído al suelo sonoro. La tierra está blanda y hueca, por removerla constantemente la azada; de modo que nadie pisará el cementerio sin que tú lo sientas. Si algo sucede, da un silbido en señal de que alguien se acerca... Trae esas flores. Márchate y haz lo que te mando.

PAJE *(Aparte.)*

Me causa cierto espanto quedarme solo aquí, en el cementerio. Sin embargo, me aventuraré. *(Se retira.)*

PARIS

¡Dulce flor, tu lecho nupcial riego de flores! ¡Tumba adorada, que en tu recinto encierras el modelo más perfecto de la eternidad! ¡Hermosa Julieta, que vives con los ángeles, acepta el último homenaje de quien supo honrarte en vida y, muerta, viene a venerar tu tumba con tributos funerarios! ¡Oh dolor! Polvo y mármoles son tu dosel, que con agua olorosa acudiré a regar de noche o, a falta de ella, con lágrimas destiladas por mis quejidos. Las exequias nocturnas que he de celebrar por ti consistirán en llorar y esparcir flores sobre tu fosa... *(El* PAJE *silba.)* ¡El paje avisa! ¡Alguien se acerca! ¿Qué planta maldita vaga en la noche por este sitio, interrumpiendo el culto y rito del verdadero amor? ¡Qué! ¡Con una antorcha! ¡Noche, encúbreme con tu velo por un instante! *(Se retira.)*

(Entran ROMEO *y* BALTASAR, *con una antorcha, un azadón, etcétera.)*

ROMEO

¡Dame ese azadón y la palanca de hierro! Toma; mañana temprano cuida de entregar esta carta a mi padre y señor... Dame la luz. ¡Te advierto, por tu vida, que, veas lo que veas u oigas lo que oigas, permanezcas fuera de aquí y no me interrumpas! El porqué desciendo a este antro de muerte, en parte es para contemplar el rostro de mi adorada; pero principalmente para quitar de su dedo difunto una sortija preciosa que necesito para mi grato empleo. De modo que ¡márchate pronto! Pero si tú, receloso, vuelves a este sitio para espiar mis actos, ¡te juro por los cielos que voy a descuartizarte, miembro por miembro, y a esparcir tus restos por este hambriento campo santo! ¡La hora y mis instintos tienen una crueldad salvaje! ¡Son mucho más feroces e implacables que los tigres hambrientos y el Océano bramador!

BALTASAR

Me marcho, señor, y no os incomodaré.

ROMEO

Así me probarás tu afecto. Toma esto. Vive y sé feliz. ¡Y adiós, buen compañero!

BALTASAR *(Aparte.)*

¡Voy a ocultarme, por eso mismo, cerca de aquí! Me asustan sus miradas, y recelo de sus intenciones. *(Se retira.)*

ROMEO

¡Tú, buche abominable, seno de muerte, repleto del bocado más exquisito de la tierra, así fuerzo yo a que se abran tus quijadas podridas, y en compensación he de atiborrarte de nuevo pasto! *(Abre la tumba.)*

PARIS *(Aparte.)*

Ése es aquel desterrado e infame Montesco que asesinó al primo de mi amada, y de cuyo dolor se cree que sucumbió esa bella criatura. ¡Y viene ahora a cometer alguna torpe profanación con los difuntos!... Voy a prenderle... *(Adelantándose.)* ¡Sacrílego Montesco! ¡Suspende tus viles intenciones! ¿Puede llevarse la venganza más allá de la muerte? ¡Miserable villano! ¡Date preso! ¡Obedéceme y sígueme, pues debes morir!

ROMEO

¡Debo morir, verdaderamente, y a morir he venido!...
Apreciable y gentil mancebo, no tientes a un hombre
desesperado. ¡Huye de aquí y déjame! Piensa en estos
que partieron: que ellos te infundan temor. Te lo ruego, doncel; no añadas un pecado más a mis culpas,
desesperándome hasta el furor. ¡Oh, vete! Te lo juro
por el Cielo que te aprecio más que a mí mismo, porque armado contra mí solo he venido hasta aquí. ¡No
te detengas! ¡Huye en seguida! ¡Vive, y di luego que la
clemencia de un loco te obligó a que salieras de aquí!

PARIS

¡Desprecio tus conjuros, y te prendo aquí, por cri-
minal!

ROMEO

¿Pretendes provocarme? ¡Defiéndete entonces, muchacho! *(Riñen.)*

PAJE

¡Oh Dios, pelean! Llamaré a la ronda. *(Sale.)*

PARIS

¡Oh! ¡Muerto soy! *(Cae.)* ¡Si tienes compasión, abre la
tumba y colócame con Julieta! *(Muere.)*

ROMEO

¡Lo haré, por mi fe!... Veamos de cerca esa cara... ¡El
pariente de Mercucio! ¡El noble conde de Paris!...
¿Qué me decía mi criado durante el viaje, cuando mi

alma, en medio de sus tempestades, no le atendía?
Creo que me contaba que Paris se iba a casar con Julieta... ¿No era eso lo que dijo, o lo he soñado? ¿O es
que estoy tan loco que, oyéndote hablar de Julieta,
imaginé tal cosa?... ¡Oh! ¡Dame la mano, tú que, como
yo, has sido inscrito en el libro funesto de la desgracia!
¡Yo te enterraré en una tumba triunfal! ¿Una tumba?
¡Oh, no! ¡Una linterna, joven víctima! Porque aquí
descansa Julieta, y su hermosura transforma esta cripta
en un regio salón de fiesta, radiante de luz. *(Colocando
a* PARIS *en el mausoleo.)* ¡Muerte, un muerto te entierra!... ¡Cuántas veces, cuando los hombres están a
punto de expirar, experimentan un instante de alegría,
a la que llaman sus enfermeros el relámpago precursor
de la muerte! ¡Oh! ¿Cómo puedo llamar a esto un relámpago? ¡Oh! ¡Amor mío! ¡Esposa mía! ¡La muerte,
que ha saboreado el néctar de tu aliento, ningún poder
ha tenido aún sobre tu belleza! ¡Tú no has sido venci-
da! ¡La enseña de la hermosura ostenta todavía su car-
mín en tus labios y mejillas, y el pálido estandarte de la
muerte no ha sido enarbolado aquí!... Teobaldo, ¿eres
tú quien yace en esa sangrienta mortaja? ¡Oh! ¿Qué
mayor favor puedo hacer por ti que, con la mano que
segó en flor tu juventud, tronchar la del que fue tu adversario? ¡Perdóname, primo mío! ¡Ah! Julieta querida! ¿Por qué eres aún tan bella? ¿Habré de creer que
el fantasma incorpóreo de la muerte se ha prendado de
ti y que ese aborrecido monstruo descarnado te guarda
en esas tinieblas, reservándote para manceba suya?
¡Así lo temo, y por ello permaneceré siempre a tu lado,
sin salir jamás de este palacio de noche sombría! ¡Aquí,

aquí quiero quedarme con los gusanos, doncellas de tu servidumbre! ¡Oh! ¡Aquí fijaré mi eterna morada, para librar a esta carne, hastiada del mundo, del yugo del mal influjo de las estrellas!... ¡Ojos míos, lanzad vuestra última mirada! ¡Brazo, dad vuestro último abrazo! Y vosotros, ¡oh labios!, puertas del aliento, sellad con un legítimo beso de pacto sin fin con la acaparadora muerte. *(Cogiendo el frasco de veneno.)* ¡Ven, amargo conductor! ¡Ven, guía fatal! ¡Tú, desesperado piloto, lanza ahora de golpe, para que vaya a estrellarse contra las duras rocas, tu maltrecho bajel, harto de navegar! *(Bebiendo.)* ¡Brindo por mi amada! ¡Oh sincero boticario! ¡Tus drogas son activas!... Así muero... ¡con un beso!... *(Muere.)*

> *(Entra por el otro extremo del cementerio* FRAY LORENZO, *con una linterna, una palanca y un azadón.)*

FRAY LORENZO

¡San Franciso me valga! ¡Cuántas veces han tropezado esta noche con las tumbas mis viejos pies! ¿Quién va?...

BALTASAR

Aquí un amigo que os conoce bien.

FRAY LORENZO

¡Dios te bendiga! Dime, mi buen amigo: ¿aquella antorcha que en vano presta luz a los gusanos y vacías calaveras no arde en el panteón de los Capuletos?

BALTASAR

Así es, venerable señor, y allí está mi amo, a quien apreciáis.

FRAY LORENZO

¿Quién?

BALTASAR

Romeo.

FRAY LORENZO

¿Hace mucho que está aquí?

BALTASAR

Una media hora.

FRAY LORENZO

Venid conmigo a la cripta.

BALTASAR

No me atrevo, señor. Mi amo no sabe que estoy aquí, y me ha amenazado terriblemente de muerte si me quedaba para acechar sus intentos.

FRAY LORENZO

Quedaos, entonces. Iré yo solo. El miedo se apodera de mí. ¡Oh, mucho me temo un funesto desenlace!

BALTASAR

Estando yo durmiendo al pie de aquel tejo, soñé que mi amo y otro se batían, y que mi amo lo mataba.

FRAY LORENZO

¡Romeo! *(Avanzando.)* ¡Ay! ¡Ay! ¿Qué sangre es esta que mancha los umbrales de piedra de este sepulcro? ¿Qué significan estas espadas enrojecidas, abandonadas y sangrientas, en esta mansión de paz? *(Entrando en el panteón.)* ¡Romeo! ¡Oh, pálido!... ¿Quién más?... ¡Cómo! ¿Paris también? ¿Y bañado en sangre? ¡Ah!... ¿Qué hora terrible ha sido culpable de este lance desastroso?... La señora rebulle... (JULIETA *despierta.*)

JULIETA

¡Oh fraile consolador! ¿Dónde está mi esposo? Recuerdo bien dónde debía hallarme, y aquí estoy. ¿Dónde está mi Romeo? *(Ruido dentro.)*

FRAY LORENZO

¡Oigo cierto rumor! ¡Señora, abandonemos este antro de muerte, contagio y sueño contranatural! ¡Un poder superior a nuestras fuerzas ha frustrado nuestros planes! Vámonos, vámonos de aquí. Tu esposo yace ahí muerto en tu seno; y Paris también. Ven; yo te haré ingresar en una comunidad de santas religiosas. ¡No me interrogues, pues la ronda se acerca! ¡Vamos, ven, buena Julieta! ¡No me atrevo a permanecer más tiempo!

JULIETA

¡Vete, márchate de aquí, pues yo no me moveré! *(Sale* FRAY LORENZO.) ¿Qué veo? ¿Una copa apretada en la mano de mi fiel amor? ¡El veneno, por lo visto, ha sido la causa de su prematuro fin!... ¡Oh ingrato! ¿Todo lo apuraste, sin dejar una gota amiga que me ayude a seguirte! ¡Besaré tus labios!... ¡Quizá quede en ellos un resto de ponzoña para hacerme morir con un reconfortante! *(Besándole.)* ¡Tus labios están calientes todavía!

GUARDIA 1.º *(Dentro.)*
¡Guíanos, muchacho! ¿Por dónde?

JULIETA
¿Qué? ¿Rumor? ¡Seamos breves entonces! *(Cogiendo la daga de* ROMEO.*)* ¡Oh daga bienhechora! ¡Ésta es tu vaina! *(Hiriéndose.)* ¡Enmohécete aquí y dame la muerte! *(Cae sobre el cadáver de* ROMEO *y muere.)*

(Entra la ronda con el PAJE *de Paris.)*

PAJE
Éste es el sitio, allí donde arde la antorcha.

GUARDIA 1.º
Está el suelo ensangrentado. Recorred el cementerio. Id alguno de vosotros y prended a quienquiera que halléis. ¡Qué desolador espectáculo! ¡Aquí yace asesinado el conde, y Julieta sangrando, caliente y recién fallecida, tras haber estado aquí dos días sepultada! Id en busca del príncipe; corred a casa de los Capuletos; despertad a los Montescos; que algunos otros practiquen indagaciones. Veamos el lugar donde han ocurrido esos desastres; pero cómo se han originado, no podemos saberlo sin conocer las circunstancias.

(Vuelven a entrar algunos GUARDIAS *con* BALTASAR.)

GUARDIA 2.º
¡Aquí está el criado de Romeo! Lo hemos hallado en el cementerio.

GUARDIA
Custodiadle bien, hasta que llegue el príncipe.

(Vuelven a entrar FRAY LORENZO *y otros* GUARDIAS.)

GUARDIA 3.º
Aquí hay un fraile que tiembla, suspira y llora. Le hemos quitado este azadón y esta piqueta cuando venía de este lado del cementerio.

GUARDIA 1.º
¡Sospecha grave! Detened al fraile también.

(Entra el PRÍNCIPE *con su séquito.)*

PRÍNCIPE
¿Qué desventura tan madrugadora viene a robarnos el sueño matinal?

(Entran CAPULETO, LADY CAPULETO *y otros.)*

CAPULETO
¿Qué es eso, que grita la gente en todas partes?

LADY CAPULETO
El pueblo exclama por las calles, unos «Romeo», otros «Julieta» y otros «Paris», y todos corren con grandes clamores hacia nuestro panteón.

PRÍNCIPE
¿Qué terror es ese que causa sobresalto en nuestros oídos?

GUARDIA 1.º
Soberano, aquí yace el conde de Paris asesinado, y Romeo muerto, y Julieta muerta también, caliente y recién matada.

PRÍNCIPE
¡Buscad, indagad y descubrid cómo ha ocurrido esta horrenda matanza!

GUARDIA 1.º
Aquí están un fraile y el criado del difunto Romeo, con varias herramientas que llevaban, propias para abrir las tumbas de esos muertos.

CAPULETO
¡Oh cielos! ¡Ay esposa! ¡Ved cómo sangra nuestra hija! ¡Esta daga erró su camino, pues, mirad, su vaina está vacía en el cinto de Montesco, y se ha envainado equivocadamente en el pecho de nuestra hija!

LADY CAPULETO
¡Ay de mí! ¡Este espectáculo de muerte es como una campana que llama a mi vejez al sepulcro!

(Entran MONTESCO *y otros.)*

PRÍNCIPE
Acércate, Montesco, pues temprano te levantas para ver caído más tempranamente todavía a tu hijo y heredero.

MONTESCO
¡Ay monseñor! ¡Mi esposa ha expirado esta noche! La pena producida por el destierro de mi hijo cortó su aliento. ¿Qué otros dolores conspiran contra mi ancianidad?

PRÍNCIPE
¡Mira y verás!

MONTESCO
¡Oh tú, descomedido! ¿Qué maneras son ésas de precipitarte a la tumba antes que tu padre?

PRÍNCIPE
Sella por un momento el ultraje, en tanto aclaremos estas ambigüedades, y sepamos su origen, su causa, su verdadera sucesión, y entonces yo seré caudillo de vuestros dolores y os guiaré hasta la muerte. Calma mientras, y que la desventura sea esclava de la resignación. Que comparezcan ante mí las partes sospechosas.

FRAY LORENZO
Yo soy la principal, si bien la menos capaz de llevar a cabo semejantes actos. Sin embargo, soy sospechoso

en gran manera, toda vez que la hora y el lugar depo-
nen contra mí en esa horrible carnicería. Y heme aquí
dispuesto a acusarme y defenderme, siendo yo mismo
quien se disculpa y condena.

PRÍNCIPE
Entonces di en seguida lo que sepas del asunto.

FRAY LORENZO
Seré breve, pues el corto plazo que me queda de vida
no es tan largo como el enojoso relato del suceso. Romeo, aquí muerto, era esposo de Julieta, y ella, ahí difunta, era fiel consorte de dicho Romeo. Yo los casé, y
el día de su secreto matrimonio fue el último de Teobaldo, cuya muerte temprana fue causa de que el novel
esposo saliera desterrado de esta ciudad, por el cual, y
no por Teobaldo, padecía Julieta. Vos (*A* CAPULETO.),
con objeto de alejar de ella aquel asalto de dolor, la
prometisteis al conde de París, empeñándoos en casar-
la con él, contra su voluntad. Entonces vino ella a mí,
y con el semblante turbado me rogó que trazara algún
medio para librarla de este segundo matrimonio o, de
lo contrario, allí mismo, en mi celda, se daría muerte.
Aleccionado entonces por mi experiencia, le di un brebaje letárgico, que obró como yo esperaba, pues pro-
dujo en ella la apariencia de la muerte. Mientras tanto,
yo escribí a Romeo para que viniera aquí esta misma
desgraciada noche, con intención de que me ayudara a
sacar a Julieta de su falsa tumba, por ser el tiempo en
que debía terminar la fuerza del narcótico. Mas el por-
tador de mi carta, fray Juan, se vio detenido por acci-

dente fortuito, y ayer por la noche me devolvió la misiva. Entonces yo solo, a la hora prevista para despertar a Julieta, he acudido a sacarla de la cripta de sus antepasados, con ánimo de guardarla secretamente en mi celda hasta que hallara yo ocasión de mandar aviso a Romeo. Pero cuando he llegado, breves minutos antes del instante en que despertara ella, yacían aquí muertos prematuramente el noble Paris y el fiel Romeo. Se despertó ella; comencé a instarla para que saliera de aquí y soportase con paciencia este golpe de los cielos; pero en aquel momento se oyó un rumor que me hizo huir sobresaltado del mausoleo. Ella, desesperada en demasía, resistiose a seguirme y, según todas las apariencias, ha atentado violentamente contra su propia persona. He aquí cuanto sé; y en lo que respecta al casamiento, la nodriza se halla al corriente. De modo que, si en este suceso ha salido mal alguna cosa por culpa mía, sacrificad mi vida, ya caduca, breves horas antes de su fin, bajo el peso de la ley más severa.

PRÍNCIPE
Siempre te tuvimos por un santo varón. ¿Dónde está el criado de Romeo? ¿Qué puede manifestar acerca del caso?

BALTASAR
Llevé a mi amo la noticia de la muerte de Julieta, y al punto, corriendo la posta, vino de Mantua a este mismo sitio, a este mismo mausoleo. Me encargó que de madrugada entregase esta carta a su padre, y en el instante de penetrar en la cripta me amenazó de muerte si no me marchaba y le dejaba allí solo.

PRÍNCIPE

Dame la carta; quiero verla. ¿Dónde está el paje del conde, el que llamó a la ronda? Muchacho, di: ¿qué hacía en este lugar tu amo?

PAJE

Vino con flores para esparcirlas sobre la tumba de su dama. Me mandó que permaneciese algo distante, lo que hice acto seguido. Inmediatamente llegó un hombre con una luz a abrir el panteón, y un momento después mi amo le acometió con el acero desnudo y entonces salí corriendo a llamar a la ronda.

PRÍNCIPE

Esta carta prueba las palabras del monje. Nárranse en ella los incidentes de tales amores, la noticia de la muerte de Julieta, y aquí escribe Romeo que adquirió de un pobre boticario un veneno, con el que vino a esta cripta decidido a morir y reposar al lado de su amada. ¿Dónde están esos enemigos? ¡Capuleto! ¡Montesco! ¡Mirad qué castigo ha caído sobre vuestros odios! ¡Los cielos han hallado modo de destruir vuestras alegrías por medio del amor! ¡Y yo, por haber tolerado vuestras discordias, perdí también a dos de mis parientes! ¡Todos hemos sido castigados!

CAPULETO

¡Oh hermano Montesco! Dame tu mano. Ésta es la viudedad de mi hija, pues nada más puedo pedir.

MONTESCO

Pero yo puedo ofrecerte más. Porque erigiré una estatua de oro puro, para que, en tanto Verona se llame así, ninguna efigie sea tenida en tan alto precio como la de la fiel y constante Julieta.

CAPULETO

Tan rica como la suya tendrá otra Romeo, junto a su esposa. ¡Pobres víctimas de nuestra enemistad!

PRÍNCIPE

Una paz lúgubre trae esta alborada. El sol no mostrará su rostro, a causa de su duelo. Salgamos de aquí para hablar más extensamente sobre estos sucesos lamentables. Unos obtendrán perdón y otros castigo, pues nunca hubo historia más dolorosa que esta de Julieta y su Romeo. *(Salen.)*